元NHKアナウンサーが教える

話し方は3割

松本和也

はじめに

「話し方は3割ですよ」

さまざまな企業の社長やビジネスパーソンに、「プレゼンやスピーチが不得意なんですが、どうやったらうまく話せるようになるでしょうか？」と聞かれたとき、私はいつもこう答えています。

伝えるために重要な要素の7割はほかにあります。

私は、２０１６年にＮＨＫを退職して、ビジネスパーソン向けのプレゼンテーションやスピーチをサポートする仕事を始めました。仕事でお客さまの声を聞いていくなかで、ずっと抱いてきた違和感がありました。

それは、「ちゃんと話して伝えるには〈滑舌・発声〉こそ大切なんですよね」とおっしゃる方、そう思い込んでいらっしゃる方があまりにも多い、ということでした。

プレゼンのトレーニングの重要なメニューのひとつとして、お客さまにご自分の話した音声を聞いてもらうことがあります。

「ご自分のプレゼンをどう思いますか？」と聞くと、「声がよくないですね」「滑舌が甘い気がします」「少し早口ですかね」「抑揚がないかも」と、音声部分を気にする方がほとんどです。私は、ここがどうしても気になっていました。

――問題はそこだけじゃないのに。

私のレッスンでお教えしているのはこんなことです。

「人前で」「まとまった内容の話」を「しっかりと伝える」ために必要な要素は、大きく3つ。

1　「話し方＝いわゆる声を出して話す行為そのもの」

2　「話す内容の仕上がり具合」

3 「スライドなどの見せ方やしぐさ、服装、表情などの演出」

では、これらの要素の重要性を割合で示すと、どうなるかというと――

話し方＝3
話す内容＝5
演出＝2

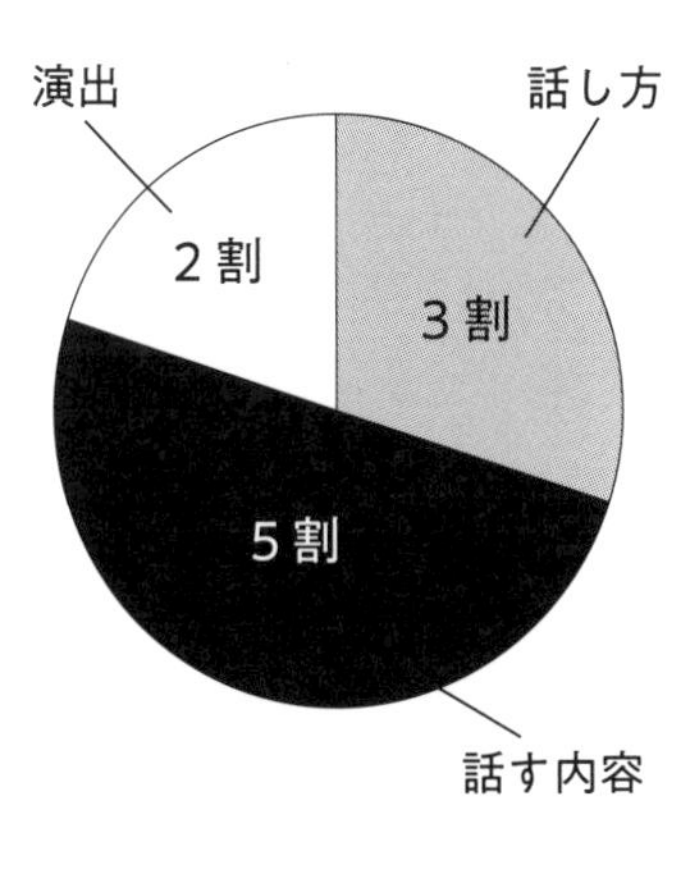

そう、「話し方は3割」！

いちばん大事なのは、
「話す内容」なんです！

レッスンでは、それぞれの項目で、具体的かつ取り組みやすい目標を設定し、実践していただくようにしています。

話し方について書かれている本はたくさんあり、ベストセラーも少なくありませんが、そのほとんどが、雑談がうまくなる、相手に好印象を持ってもらうなど、対人コミュニケーションをよくするための「話し方」です。

一方、プレゼンの技術の本もありますが、こちらは、見やすい資料の作り方など、パワポやスライドの作り方が中心となっているようです。

なかには、「話し方で、人生が変わる、売り上げが伸びる」といったことをうたっている、スキル書というより心の持ち方に重点を置いた自己啓発書のような本もあります。個人的には、話し方がよくなっただけでそこまでの大きな変化があるのかな、と疑問に思います。

巷には、「話し方」の本があふれているようでいて、実は、「まとまった話をしっかり効果的に伝える技術」、すなわち、「プレゼンテーションやスピーチ全体の完成度」を向上させるには、どのような手順を踏んで、どれくらいのことをすればいいのか、その具体的な方法を書いたものは、ありそうで、ない。

そのことに気がついたとき、これは、ぜひ、多くの方にお知らせしなければ、と思いました。

最近は、企業のトップや広報、技術開発などの方々が、社員や株主に対してはもちろん、お客さまに向けてメッセージを送る機会、それが公開される機会が増えてきました。一般的なビジネスパーソンでも、会議や営業先でプレゼンやまとまった意見を求められる機会が増し、その傾向は、テレワークが広がり、オンラインでの会議が日常化するなかで、ますます高まっているようです。

この本は、人前で（あるいは、マイクの前、カメラの前で）、まとまった話をする機会、プレゼンテーションやスピーチをする際の具体的なテクニックを集めています。とにかく実践できることを書いたつもりです。

なかには、非常に地道な作業が必要なものもあります。もし、そこがしんどいときは、ほかのページを見て、できることからやってみてください。

頭でわかっているということと、実際にできる、ということはまったく違います。ある程度、実地で、身体で覚える必要があることは、覚悟しておいてください。

では、始めましょう。

もくじ

第2章 話す力は、書く力

パート1 話しことばの原稿の構成法

パート2 話しことばの原稿の「文」の秘訣

第3章

インパクト大、差がつくプレゼンテーションでの話し方

第4章 毎日がミニプレゼンテーション! さまざまな場での話し方

第5章

オンライン！プロが教えるカメラ相手の話し方

第1章

話し方の3つの基本テクと2つの上級テク

「話し方は3割」だとしたら、その「3割」の部分とは？　ということで、プロならではの話し方の秘訣を、基本と上級に分けて、ご伝授いたします。

あまりに簡単すぎて、拍子抜けしてしまうかもしれませんが、これらを徹底するだけで、もう「話し下手で……」などと腰が引けてしまう日々からはさようならです。

テクニックより重要な「聞き手優先主義」

テクニックをお話しする前に、心がけていただきたいことがあります。

それは、「滑らかに話そう」「プロのアナウンサーみたいに話そう」と思わないことです。たしかに淀みなく話したいという気持ちはわかります。誰だって「上手〜！」って言われたいですから。でも聞き手にとって、あなたの話し方がうまいかどうかはそれほど重要ではありません。重要なのは、

話している内容がよくわかることです。


滑らかでなくていいんです。つっかえたってかまいません。

とにかく聞き手が聞きやすい、わかりやすい話し方をする「聞き手優先主義」でいきましょう。聞き手優先主義を心がけていれば、話し方そのものは、上手にならなく

ても、自然と、「あの人の話は聞きやすい」と評価されるようになります。
この本で紹介するテクニックは、すべて、この**「聞き手優先主義＝聞いている人がもっとも嬉しい伝え方」**という考え方で作られています。

それを踏まえた上で、伝わる話し方のテクニックは全部で5つです。
まず基本テクニックは、

①ゆっくり　②はっきり　③語りかける

そして、上級テクニックとして、

④メリハリをつける　⑤ことばのエッジを立てる

この5つ。たったこれだけです。これから、一つひとつご紹介していきます。

基本
テクニック

1 ゆっくり

ゆっくり話す、まずはここから始めましょう。

一見簡単なように思えるかもしれません。しかし、これができていない方が、実は非常に多いんです。自分が思っているよりも、早口になってしまう。

原因は、いろいろありそうです。

「早く伝えたい」「たくさん伝えたい」「時間内に終わらせなければ」という自分なりのサービス精神。「頭に浮かんでくるさまざまなことばやイメージを、なんとかすべてことばにしなければ」という焦り。「とにかくざっと話してこの場を乗り切りたい」という恐怖心もあるかもしれません。よくわかります。

私の経験では、話し方についていちばん多い相談は、「滑舌が悪いんです。どうすればいいでしょうか」というものですが、私に言わせれば、これは、滑舌が悪いのではありません。

自分の思いに自分の口がついて行けず、うまく話せないだけなのです。

滑舌練習をするよりも（もちろん、時間に余裕のある方やプロの方の滑舌練習は否定しません）、**「ゆっくり話す」**ことを意識してみてください。

あなたの話は聞き取ってもらってこそ意味があります。そのためには、ちゃんと聞き取ってもらえるようなスピードで話さなくてはなりません。

では、そのスピードはどのくらいが適切でしょうか？

1分間に何文字、という言い方もできるかもしれませんが、私はそうした表現は、一般の方にはあまり役に立たないと思っています。

というのも、プロなら一定以上の滑舌のよさによって、多少早口でも緩急をうまく使うなどして、わかりやすく聞かせることができます。そこから導き出された1分間に何文字という基準が、一般の人の誰にでも当てはまるわけがありません。聞いている人がわかりやすいようにしっかりと話せるスピードというのは、人によって大きく違うのです。

そこで、こう考えてください。

思いつくまま「ぱーっと」話さない。
「焦らず、立ち止まりながら」話す。

「ゆっくり話す」というと、すべてをとにかく間延びして話すイメージ、一時期バラエティー番組で人気だった戦場カメラマンの方のような話し方を想像するかもしれませんが、そうではありません。

「立ち止まりながら」というのが大切なところです。すると、自然と早口にはならず、スピードも落ちます。

どういうことなのか。こちらの例文を声に出して読んでみてください。

大切なのは焦らず落ち着いて一つひとつのことばを意識しながら話すことです。

どうでしたか。スムーズにさっと読めましたか？

もし読めた方がいたら……その方はちょっと早口の傾向があるかもしれません。

実は、この文章、引っかけ問題だったんです。引っかけポイントは、読点「、」がないこと。こうすると、私の経験では、多くの方が「大切なのは焦らず〜」と一気に読んでしまいます。

つまり、本来は、「大切なのは」という部分が主語で、それ以下の部分が答えにあたる部分を話しているのですから、「大切なのは」のあとに「間」をあけると理解しやすくなります。文の内容を考えれば、自然とそうなるはずです。しかし、そうはならない。なぜでしょうか。

それは、**あなたの目には、１文全体が見えているからです。**

つまり、**文全体が見えることで、一気に読んでしまおう、読めるはず、という意識が働く。その思いが、内容をしっかり伝えるという思いよりも勝ってしまう。だから一気にしゃべってしまう**のです。

と、エラそうに言っていますが、何を隠そう、私自身が、新人アナウンサー時代、まさにそうでした。

当時、ニュースを読んでいると、先輩アナウンサーに、「そんなに焦らなくていいから」とよく言われました。自分ではそんな意識はないのに。すると、こう言われたんです。「早く読み終わろうとしないで。情報をしっかり届けようと思ったらそんなスピードにはならないよ」。どういうことか、先ほどの例文で説明しましょう。

焦らず落ち着いて一つひとつのことばを意識しながら話す。

これ、よく見ると大切なことがいくつも並んでいますよね。「焦らず」「落ち着いて」「一つひとつのことばを」「意識しながら」話す、と言っています。つまり、カギ括弧でくくられた部分は、それぞれが大切な情報です。これら一つひとつを、聞いている人に受け取ってもらわなくてはいけません。これを、一気に読んでしまうと、個々の情報がちゃんと届かず「流れて」しまいます。

では、どう読むのか？　もうおわかりですね。

「一つひとつの情報を意識して、その都度、立ち止まりながら伝える」のです。

なにもカギ括弧ごとに沈黙の間を入れる必要はありません。**一つひとつのことばを意識して伝えるだけで十分です。**そうすれば、間違いなく、**「ゆっくり」話しているように聞こえます。**

> **大切なのは、**
> **焦らず、落ち着いて、**
> **一つひとつのことばを、意識しながら、**
> **話すことです。**

文章を音読することを例に挙げましたが、ふつうに話すときも同じです。次々に頭に浮かんでくる情報を、頭に浮かぶままことばにしていると、たいていの場合、早口になったり、よく伝わらないものになったりしがちです。そうならないためには、

頭に浮かんだことを一気に話すのではなく、「一つひとつの情報を意識して」「たまに立ち止まりながら」話す

ようにするのです。

そうやって実際に話すと、ひょっとしたら、いつもと比べてものすごく遅く話している気持ちになるかもしれません。でも安心してください。聞いている側は、それほど遅くは感じていません。むしろ、あなたがゆっくりと感じるくらいのほうが聞きやすいのです。

最初は、「ゆっくり話す」ことは苦しいかもしれません。ゆっくり話すのがもどかしくなったり、早く話したい！　という思いに負けてしまったりすることもあると思います。しかし、これも何度も試しているうちに必ずできるようになります。

めげずに、頑張ってください。

基本
テクニック
2 はっきり

「はっきり話す」というと、「滑舌よく話す」ことと、とらえられがちです。読んで字のごとく舌を滑らかに動かして話す、あるいは口をしっかり開けて話す、というイメージが浮かぶかもしれません。けれども、私がお勧めする方法は違います。一般の方が滑舌よく話そうとすると、違和感がある話し方になってしまうからです。

テレビで見たこと、ありませんか？　まだ仕事に慣れていない新人アナウンサーが、口を必要以上に大きく開けて、「ミ・ナ・サ・ン・コ・ン・ニ・チ・ワ」と、滑舌よく話そうとする姿を。

新人アナウンサーだから、練習のためにやっているのだろうと、こちらもわかっているからだいじょうぶかもしれませんが、日常生活であんなしゃべり方をしていたらちょっとコワいですよね。

同じように、一般の方がふだんのプレゼンなどで、無理して滑舌よく話そうとすると、「どうしたんだ？」と思われかねません。

では、どうするか？

私のお勧めは、前の「ゆっくり話す」のパートでご紹介した方法の応用です。先ほどの例文をもう一度見てみましょう。

大切なのは焦らず落ち着いて一つひとつのことばを意識しながら話すことです。

この文章、一般に「滑舌が悪く聞こえる」人は、こんなふうに読むことが多くあります。

「たぁいせつなのはぁあせらずぉちついてひとつとつのことばをぃしきしながらはなすっとです」

読みにくくてごめんなさい。小さい字の部分は聞こえにくい小さい音を表しています。細かく見ていきましょう。

最初の部分、「大切なのは焦らず」というところは「たぁいせつなのはぁあせらず」と読んでいます。

これは、最初の「たい」が「た」「い」の2つの短い音として発音されておらず、最初の「た」がだらっと伸びて、次の「い」とつながっているイメージです。

そのあとの「ぁあせらず」は、「大切なのは」の「は」の部分が同じようにだらっと伸びて、次の「焦らず」の「あ」につながっていることを表しています。

こういうふうに発音していると、２つの弊害が考えられます。

1つは、何を話しているか聞きにくくなる。もう1つは、だらしなく話しているように聞こえることです。ふだんの会話だったら問題ありませんが、ビジネスなどの改まった場では好ましくありません。

例文のほかの部分も見てみましょう。

「焦らず」と次の「落ち着いて」がだらっとつながって、「ずぉ」になっています。その次、「一つひとつ」の真ん中の「ひ」が消えていますね。これは真ん中の「ひ」を発音するのをサボっているからなんです。

次の「ぃしき」は、最初の「い」の音が、前の「を」に埋もれてよく聞こえなくなっている。最後の「ことです」も、「こ」をしっかり話すことをサボっているところう聞こえるという例です。

いずれも、よくありがちな例です。

このように聞こえないようにするには、前のパートの方法を応用します。

「一つひとつの情報を意識して」、それぞれを「サボらずに丁寧に発音する」のです。
何も必要以上に口を開けたり、滑舌練習したりする必要はありません。

やるべきことは、

一つひとつの音を、サボらず丁寧に発音する

ことだけです。

こうすると、はっきり聞こえるようになるのはもちろん、一つひとつのことばを話すことをサボらなくなるので、**自然とスピードもゆっくりになります。**

もうおわかりですね。実は、基本テクニックの1と2は密接につながっています。

共通するのは、

「流してざーっと話さない」こと。
「立ち止まりながら情報を一つひとつ相手に届ける」ことです。

これさえできれば、いわゆる「話し方」の問題はほとんど解決します。たしかに「滑らかに話したい」という目標を持つ方には不十分かもしれません。しかし、それ以上に大切な**「聞いている人にしっかり伝わる」**という武器を手に入れられるのです。そちらのほうが価値のあることだと思いませんか。

それを踏まえて大切なことは、繰り返しになりますが、

「焦らず」「立ち止まりながら」「しっかりと」話す

ことなのです。

基本
テクニック

3

語りかける

最後の基本テクニックは、「語りかける」です。

実は、今までご紹介した2つのテクニックよりも、これができていない人が多いようで、多くの人のプレゼンテーションやスピーチを聞いていて、もっとも感じるのは、「この人は、いったい誰に向かって話しているんだろう?」ということです。

わかりやすい例を挙げましょう。

新型コロナウイルスの蔓延によって緊急事態宣言が出された日の、総理大臣の演説です。聞いた方のなかには、原稿を「読んでいるなぁ」という印象を持った方も多かったのではないでしょうか。原稿を読んでいること自体は悪くありません。

問題は、聞いている人に届けようという気持ちで話しているかどうか、です。

実はこれも、新人アナウンサーだったころの私もうまくできず、先輩から指導を受けたことでした。そのころの私が、ニュースを読んでいる最中に考えていたこと。それは「間違えずに読み切る」こと、ただそれだけでした。たしかに、何度も練習すれば間違えずに読むことはできました。しかし先輩からは、「ま、新人としてはいいんだけど、今ひとつ伝わってこないんだよなぁ」と言われました。そして、**「知っている誰かの顔を思い浮かべながら、その人に向かって読んでみて」**とアドバイスをもらいました。

最初はうまくいきませんでしたが、何度か試すうち、**原稿を「読む」のではなく、人に語るように「伝える」**、という感覚が少しずつ自分のなかに育ってきました。

しばらくすると、聞いている人の顔がただ浮かぶのではなく、自分が読んでいる原稿に対し、「へーそんなことがあったの！」「で、今後はどうなるの？」などとリアクションしている様子まで感じられるようになってきたのを覚えています。

ただ読む。ただ話す。これでは相手に伝わる表現にはなりません。

聞いている人の反応をイメージしながら、その人に向かって語りかけること。

これがプレゼンやスピーチで求められる話し方のもっとも大切な要素です。

よく、「一対一では話せるのですが、たくさんの人の前だとうまく話せなくて……」という方がいます。で、「話しているとき、たくさんいるなかの誰か1人の顔をしっかり見て話していますか？」と尋ねると、見ていないという方がほとんどです。

どんなにたくさんの人が聞いていようと、聞いているのは一人ひとりの耳です。その一人ひとりにことばを届けるようにする、語りかける。これが大切です。

昔は、多くの人の前で話す場合、大きな声で朗々と語る演説調という話し方がありました。たとえが極端で恐縮ですが、ヒトラーの演説の映像をイメージしてみてください。当時、大きな会場で、今よりも性能がはるかに劣るマイクとスピーカーで伝えるには、あれだけのパワフルな声と大げさなアクションが必要だったのでしょう。

しかし、今はどうでしょう。マイクやスピーカーは大いに発達し、聞こえやすくなりました。しかも、いまや話し手の顔は、遠くに豆粒のように小さく見えるものではなく、大型スクリーンやテレビ、スマホなどの画面を通して目の前でしゃべっているように見ることができるものです。そこで必要な話し方は、多くの人に大声で呼びかけるものではなく、一人ひとりにしっかりと語りかける形です。

紹介してきた3つの基本テクニックに共通しているのは、**何も考えず、ただのんべんだらりと話さない**、ということです。**話す内容をしっかり頭のなかで確認しながら、大切な聞き手に届けるようにすること**。この意識があれば、これまでとは違った「しっかり伝わる話し方」になるはずです。

上級テクニック

1 メリハリをつける

ここからは上級テクニックです。なぜ上級かというと、使いこなすにはある程度の練習が必要なものの、使いこなすことができれば、一気に伝える力がアップする、というテクニックだからです。

1つめは、「メリハリをつける」方法です。

私がお客さまに、「自分の話し方で気になるのはどこですか?」と聞いたとき、いちばん多い答えが「発声・滑舌がよくないこと」だというのは、先にお話ししました。そして、2番目に多いのが「抑揚がないこと。一本調子に聞こえること」です。

これを防ぐには、**話している内容のうち、強調したい部分とそうでない部分の間でメリハリ(変化)をつける**ことです。

実は、私たちは、書きことばではこうしたことを当たり前のようにやっています。レポートを書いたりするとき、使う文字はずっとまったく同じ大きさではないはずです。強調したい部分は、文字の大きさを大きくしたり、ボールドをかけたり、フォントそのものを変えたりしているはずです。ほかにも、改行をしたり、スペースを活用したりするかもしれません。この本でもそうしています！

こうしたことを、話しことばでも意識的に行っていくのです。

方法には次のようなものがあります。

①リズムを変える
②スピードを変える
③間（沈黙の時間）を変える
④音の高低を変える
⑤音の強弱を変える

ほかにもあるかもしれませんが、ともかくこれらができれば「抑揚がない」とは言われないはずです。見ていただいてわかるように、音楽的な要素ばかりです。

①リズムを変える

強調したい部分とそれ以外の部分の話すリズムを変えることです。

例を挙げましょう。東京2020オリンピックを招致するためのプレゼンテーションでの、滝川クリステルさんのことばを覚えていますか？

「お・も・て・な・し。おもてなし」

その前の部分ではフランス語で。そして、このことばを表すとき、1音1音区切って、発音しました。しかも、ジェスチャーをつけて。これだけやれば、そのことばが強調できますよね。

話すリズムを変えると強調できることがよくわかると思います。

②スピードを変える

強調したい部分だけスピードを変えます。

強調したいことばを少しゆっくり言う。

これは自然に使っているテクニックだと思います。たとえば、

来年度の成長のカギになるのが、私どもが開発した新技術なのです。

という文の「新技術」ということばを強調したい場合は、

来年度の成長のカギになるのが、私どもが開発した新技術なのです。

と、そこだけ少しゆっくり言えば、聞いている人の気を引くことができます。

③間（沈黙の時間）を変える

同様に、強調したいことば、ここでは、「新技術」の前後に間をとります。

来年度の成長のカギになるのが、私どもが開発した…新技術…なのです。

④音の高低を変える

紙面ではうまく表現できませんが、強調したいことばだけ高い音で話すと、強調されます。

来年度の成長のカギになるのが、私どもが開発した新技術**なのです。**

ジャパネットたかたの髙田明前社長が、特徴的な高い声で強調していたのを覚えている方もいるかと思いますが、この方法の例です。

⑤音の強弱を変える

来年度の成長のカギになるのが、私どもが開発した新技術なのです。

声を強くすると強調できるのはもちろんですが、実は、小さくしても、聞き手をひきつける効果があります。秘密の話、ここだけの話を聞かせてもらってるニュアンスも出せます。

来年度の成長のカギになるのが、私どもが開発した新技術なのです。

以上、5つの強調表現は、**複数を組み合わせて**使うこともできます。

③でしっかり間をとり、②のゆっくり話す言い方をすると、効果はさらに上がります。ただし、何事もやりすぎると、クサくなるので、そのあたりはバランスを見計らってください。

このように、強調のしかたにもいろいろなバリエーションがあります。いきなりアドリブで行うのが難しそうでしたら、プレゼンの原稿を作るときに、強調したい部分だけフォントのサイズを大きくするなどしておくと、話すときに反映できます。

重要なのは、**ふだんからいろいろな変化のつけ方を実践しておく**ことです。

最初は、ちょっと大げさかな、恥ずかしいな、という気持ちが出るかもしれませんん。そんなときは、音楽が好きな人は音楽を、美術が好きな人は美術を、お笑いが好きな人はお笑いをじっくり見てください。

あなたがそれらに心を動かされる原因のひとつが、音色やリズム、色の濃淡や筆致、話の間合いやスピードなどの微妙な変化であることに気がつくはずです。それを、自分の話し方にも取り入れるのです。

上級テクニック

2 ことばのエッジを立てる

「ことばのエッジを立てる」――本書でご紹介するなかでは、もっとも難しいテクニックです。しかし、これができるとプロのようなキレのある話し方ができます。

伝わりにくい話し方になる大きな原因のひとつに、無駄な音を強調してしまっている、ということがあります。なかでもよく耳にするのが、文の切れ目やことばの切れ目など、「ことば尻を強調すること」です。

幼稚園、もしくは小学生くらいのころ、こんなふうに言っていませんでしたか？

せん「せー」、さよーな「らっ」、みな「さん」、さよーな「らっ」。

このカギ括弧でくくった部分がちょうど文の切れ目＝ことば尻になっていて、そこを強く発音＝強調していました。これが「ことば尻の強調」です。

子どもたちだとかわいいのですが、大人が同じように言ったとしたら、どうでしょう？　ちょっと気持ち悪い。

気持ち悪さの原因は、特に重要でもないことばであることば尻を強調しているからです。**意味のない部分の強調。これを頻発されると聞いているほうは聞きにくさを感じてしまう**のです。

皆さんも知らず知らずのうちにやってしまっているはずです。

今日「はっ」、お忙しいとこ「ろっ」、お越しくださいまし「てっ」、ありがとうござい「ます」。

いかがでしょうか？　ふだんの会話のなかで聞いている分には特に気にならないか

もしれません。しかし、人前やカメラの前での、プレゼンやスピーチなど、まとまった話をしている人が、こうしたことば尻を強調する話し方をしていると、聞いている人の耳には、「はっ」「ろっ」「てっ」「ます」ということば尻ばかりが耳に残ってしまい、肝心の内容が今ひとつ伝わらない場合が出てきてしまいます。

ことば尻の「音を伸ばす」のも同じようにノイズになります。政治家の答弁を思い出していただくとイメージしやすいと思います。

……

今日はっ「あー」お忙しいところっ「おー」お越しくださいましてっ「えー」

あー、おー、えー、などと音を伸ばしている間に考えながら、話しているのでしょう。事情はわかります。しかし聞いているほうは、余計な音を連続して聞かされることで、理解を妨げられます。そこがちょうどよいリズムに聞こえて、眠くなったりすることもあります。

では、こうした癖はどうすれば治るのか？

私のお勧めは、

最初の音を「軽く」「高めに（明るめに）」「ポン！と」出す方法。
題して「ポン出しの法則」です。

まずはやってみましょう。
次の文章のカギ括弧の部分を、**軽く高めにポン！**　と出してみてください。
その部分で手首を使って近くの人にボールを軽く投げる。そんなイメージです。あとの部分は特に意識しなくてかまいません。最初の勢いだけで結構です。

「きょ」うは、「お」忙しいなか、「お」越しくださいまして……

どうですか、ことば尻は？　強くなったり、伸びたりしないでしょう？
最初にアクセントを置くと、後ろで音を伸ばそうと思ってもなかなかできないものなのです。

こうすることで、情報性のないことば尻を強調することは避けられます。しかもことばの最初の部分が相手によく聞こえるようになるため、「きょう」「お忙しい」「お越しください」など、情報性のある部分がしっかり伝わるようになるのです。

「かるく　ポン！と　出す」
最初の音を意識して、ポン！と相手にボールを軽く投げるように。

この**「ポン出しの法則」**、私のところにトレーニングにお越しになる方々に伝えると、最初は半信半疑の反応をされる方がほとんどです。しかし、実際にやっていただくと、皆さん、その効果に驚かれます。ぜひ、お試しください。

話し方の基本テクニックのまとめ

①ゆっくり

頭に浮かんだことを一気に話すのではなく、「焦らず」「落ち着いて」「一つひとつの情報を意識して」「たまに立ち止まりながら」話す。

②はっきり

一つひとつのことばをサボらず丁寧に発音する。
ざーっと流さず、情報を一つひとつ相手に届ける。

③語りかける

聞き手の反応をイメージしながら、
その人に向かって、ことばを届けるように語りかける。

話し方の上級テクニックのまとめ

①メリハリをつける

①リズムを変える
②スピードを変える
③間（沈黙の時間）を変える
④音の高低を変える
⑤音の強弱を変える

②ことばのエッジを立てる

「ポン出しの法則」

最初の音を「軽く」「高めに（明るめに）」「ポン！と」出す。

ポン！と相手にボールを軽く投げるように。

第2章

話す力は、書く力

「話し方は3割」だとしたら、残りの「7割」は?

ということで、いよいよ、伝わる話しことばになるかどうかを決定づける、効果的なスピーチ、プレゼン原稿の作り方をお話しします。

そう、話す力とは書く力だったのです。

大事な場で話すときは、スライドよりまず原稿作りから

私は声を大にして言いたい。

プレゼンテーションやスピーチでの話し方がうまくなりたいのなら、「書く力」を磨くこと。「話すための原稿」を書いてください。

最近は、プレゼンというと、まず、パワポなどのスライド作りから始める方がほとんどだと思います。それができあがれば、プレゼンの準備は終わり。当日は、スライドを見ながら、話していけばいいからです。

でも、そのプレゼンで目的を達成したかったら、つまり、効果的に伝え、相手を動かしたかったら、最初にすべきは、話す内容の原稿を書くことです。

スライドは、原稿ができてから！

突然、上からすみません。でも、これが本当に言いたいことなんです。
スピーチの場合も同様です。まず、原稿！

私に原稿を書くよう言われたお客さまのなかには、即座に反論される方もいます。「原稿なんて書かなくてだいじょうぶ！　私は箇条書きで言いたいことのメモさえ作っておけば話せます！」と。

はい。たしかに「話せる」とは思います。しかし、**自分が話せる（と思っている）ことと、聞き手にとってわかりやすい話し方になっているかは、別の話です。**

私の仕事上の経験ですが、ある程度、話し方に自信を持っている人は、ちょっと聞くと滑らかに話せているように聞こえます。しかし、よく聞いてみると、同じ話を何度も繰り返していたり、論理的に矛盾していたり、そもそも何が言いたいのかわからない話をしたりということが少なくありません。

なぜそうなるのかは、なんとなくわかります。私もそうでしたから。箇条書きのメモを作ってきていても、話している最中には、頭にいろいろなことが浮かんできます。そして、「これは言っておかなきゃ」と思って、その場でアドリブで付け加えて話します。そうしているうちに、途中で何を言っているのかわからなくなる……偉そうに言っている私も、ノープランで話していると、そうなることは多々あります。

日ごろの雑談や会社の同僚との話ならそれでいいでしょう。しかし、外部向けの大事なプレゼンやスピーチ、特に、あとで映像や文字原稿で記録が残るような場で話すときは、そうはいきません。

そうした場では、聞き手との間に日ごろの共通理解がないことも多く、相手が知らないことや日ごろ使わないことばなど、仲間内では説明しなくてもいいようなことでも、必要な場合は丁寧に説明しなくてはいけません。そんな配慮をしながらアドリブで話すのは、多くの方にとって、たいへんなことです。

大事な場面で話すときは、原稿を作る。

面倒ですが、習慣にしておくと、あとあと必ず、役に立ちます。

この場合の原稿とは、話す内容を一字一句、シナリオのように書くことです。

一字一句原稿に書くことには大きなメリットがあります。それは、自分の考えていることと、言いたいことがいったん可視化されることです。

論理的に矛盾があったり、同じ話が繰り返されたりということは、いったん書いておけば見直したときに簡単にわかるようになります。

これは、自分で話しているときには、なかなか気づきにくいものです。

原稿は、最初は、一字一句話すように書く

たとえば、今までこんなことはありませんでしたか？

・箇条書きのメモだとちゃんと流れができていた内容が、実際話してみると時間がかかりすぎた。
・話してみると、箇条書きの順番通りに話せず、どこに着地していいのかわからなくなった。
・話しているうちに、論理的に矛盾したことを言っているのに気づいた。

これ、みんな、私が新人アナウンサー時代、箇条書きで話したことでやらかした失敗です。

箇条書きではちゃんと流れができている話でも、実際には「箇条書きのなかにはな

いことばを補いながら」話していく必要があります。簡単な内容や時間的に余裕のあるときならまだしも、生放送など緊張感のある場面で無駄のないことばをアドリブで選んでいくのは本当に難しいということはおわかりいただけると思います。

やたらと滑らかに話しているけど、話す中身がしっかり伝わってこない。新人アナウンサー時代の私がこう言われていた原因の1つは、この箇条書きのメモで話してしまっていたことだったのです。

あるときから、自分のしゃべる内容は一字一句、事前に書いておくようにしました。すると、それまで自分がいかに無駄なことばを話していたのかに気づくことができました。また、話しながら自分がどこへ行ってしまうのか迷子になることもなくなり、自信を持って話せるようになりました。

最初は、メモではなく、話す内容を、一字一句、原稿にしておく。

最初は、「話すことをすべて文字にしておく？　面倒くさい！」　そう思われるのも当然だと思います。

しかし、すべて原稿化しておくと、今ひとつ伝わりにくいのはどこか、チェックするときなどは、いちいち録音を聴き直すよりも簡単です。長い目で見ると、トータルでの作業時間は短くなります。お約束します。

ただし、今後ずっと、話す前には原稿を書いてください、と言うつもりはありません。はじめのうちだけです。

楽器を習うときのことを思い出してください。

最初は、しっかり音を出す基礎練習。次に一曲ちゃんと弾ききることから始めますよね。いきなりアドリブ演奏にトライしても、よほどの天才でない限りうまくできないでしょう。けれども、一曲ちゃんと弾く練習を地道にやっていると、演奏する際の一定の法則性やテクニックが身につき、少しずつアドリブもできるようになります。

同じように、まずはしっかりと原稿を作って話す練習をする。

それを何度か続けるうちに、相手にわかりやすく伝えるコツが体でわかってきます。**しばらくすると、原稿なしのアドリブで話しても、破綻せずに伝えることができるようになります。**

これが自信を持って言えるのは、私だけでなくNHKの新人アナウンサーが皆同じことをやって、人前で話すだけの技術を身につけてきたという自負があるからです。

話す内容を自分で悩みながら原稿に書き、話す。この繰り返しです。
誰もがこの方法でだんだんと自然に話せるようになるのです。

これだけ言っても、まだ「話すための原稿を書くなんて嫌だ！」と言う人がいます。そういう人たちは、たいていこう言います。

「原稿を書いたら臨場感がない棒読みになる。自然に話すには箇条書きのメモがいい！」

たしかにそうかもしれません。でも、私に言わせれば、それは、**元々の原稿が、話すためのものになっていないから。**

詳しくは、これからお話ししますが、簡単に言うと、原稿を書いたら何度も口に出して話しやすい形になるまで書き直していく必要があるのです。

長い文章はできるだけ避け、読みにくい漢語やカタカナ表現をシンプルな言い方に書き換えていくのです。まずはそれを徹底して行います。

棒読みになってしまうもう1つの理由は、原稿を自分のなかに落とし込む練習が足りていないからです。

かのスティーブ・ジョブズでさえ、プレゼンの前には何度も何度も練習を重ねていたことはよく知られています。

具体的には、何度も口に出しながら話しやすい原稿にしているか？　そして何度も口に出すことで、原稿なしでも自由に話せるくらい、話す中身を自分のものにしているか？　私は、頭のなかに「原稿の文字」ではなく伝えるべき内容の「映像」が浮かぶくらいまで、「話す内容を自分のなかに落とし込み」ます。

そうすると、それまで棒読みだった話し方が、徐々に自分の感情が乗った言い方となり、表情やアクションも自然と生き生きしたものが出てきます。

さあ、まずは話の中身をどう作り込んでいくか、ここからお話ししていきましょう。2つのパートに分けてお話しします。

パート1は、話の組み立て方、いわゆる「構成」の方法です。ここをしっかりと行っているかどうかで、わかりやすさが決まってきます。あらゆるプレゼンテーションで使いこなせるさまざまなテクニックを盛り込みました！

パート2は、「話しことばの文章の作り方」です。

「話しことばの文」というと、「〜です」ではなく「〜なんですよ」などといった「語尾などの言い回しを柔らかくすること」というイメージを持たれるかもしれませんが、違います。

話すときの文章は、書きことばとは、「違う構造」「違う発想」で書く必要があるのです。

これができるかどうかが、実は、聞いてよくわかるプレゼンやスピーチができるかの最大のポイントになります。しかも、この考え方で作った原稿は、絶対に棒読みすることにはなりません！

ここからのパートは、この本のなかでも特に必見です！　ご期待ください。

パート

1

話しことばの原稿の構成法

まずは、話のおおよその流れを作ることから始めます。いわゆる「構成」の方法です。

プレゼンやスピーチの際、話が伝わりにくい大きな原因は、この「構成」がよくないことにある——これが、数多くのビジネスパーソンのプレゼンなどを聞いて、私が確信したことです。段階を追ってご説明しましょう。

構成法
基本
テクニック
1

構成は、「広げて書き直す」

ステップ① まずは言いたいことをすべて書き出す

最初から完全な構成は無理です。話す内容の順番なんてあとで考えればOK。とにかく書き出してください。何か片付けをするときに、とりあえずあるものを全部フロアに広げますね。あの感じです。あとで並べ替えたり添削したりするので、手書きよりは、PCなどに書いていくことをお勧めします。

ステップ② 同じ内容のグループごとにまとめる

ここもまだ順番は考えなくてかまいません。

たとえば、何か新しいサービスや製品のプレゼンでしたら、「自己紹介」「サービスの概要」「サービスが必要な背景」「需要予測」「根拠」「具体例」「新サービスで得られる便益」「今後の見通し」などなど、ざっくりしたタイトルをつけたグループ分けでかまいません。

そこにさっき書き出した文章をコピーアンドペーストしていきます。どこにも入らないものは「その他」に入れておいてください。

ステップ③　並べ替える

そして、最後に、話の順番を考えて並べ替えます。ここからがもっとも大切なところとなります。次のページから、順を追って説明します。

構成法
基本
テクニック
2

自己紹介・自社紹介は短めに

質問です。外部向けのプレゼンの最初は、何から始めますか？

きっと「自己紹介」あるいは「自社紹介」という方が多いと思います。はい、それでいいと思います。では、それに、どのくらいの時間をかけていますか？

おそらく、多くの方が「手短にやっています」とおっしゃるでしょう。しかし、現実には、たいていの方はここが長すぎる。私が見るプレゼンの多くは、「自己紹介」や「自社紹介」に1分、あるいはそれ以上かけています。

何を話しているかというと、「自己紹介」の場合は、名前や現所属だけでなく、これまでのキャリアや実績、出身地や趣味まで話す人も見たことがあります。「自社紹介」の場合は、会社の設立時期などの会社の沿革や、従業員数、資本金といったいわゆるIR的な情報を話す人もいます。

それらが、プレゼンで話す内容と関わるものならいいでしょう。しかし、ほとんどがそうではありません。「なぜ、そんなに自己紹介が長いんですか？」と聞くと、「一応、申し上げたほうがよいかと思いまして」と多くの方が答えます。

でも、それ、聞いている人にとって聞きたい情報でしょうか？

なかには聞きたい人もいるかもしれませんが、大半は、こう思っているはずです。

「自己紹介はいいからさ、早く本題に入ってよ」と。

ご自身が聞いている立場になれば、おわかりでしょう。1分でも長い。

そうなんです。話す立場に立つと、途端に聞く側の気持ちを忘れてしまう。でも、プレゼンやスピーチに限らず、人に話をするときにもっとも大切なこと。それは、

「常に聞いている人の立場に立つ」ことです。

自己紹介、自社紹介は簡潔に。長くても20秒くらいでおさめるのがお勧めです。

構成法
基本
テクニック
3

つかみが大切。最初に何を言うか。バリエーションを持つ

さあ、自己紹介の後です。次は何を話しましょうか？

結論？

いいですね。たしかに、よく「結論から話せ」と言われます。もちろん、それが正解であることは多いのですが、もう一工夫してみませんか？

オープニングには、次のようなパターンがあります。

①結論から始める
②（つかむタイトルをつけた）概要（アジェンダ）から始める
③「あるある」から始める

④意外な話から始める

それぞれのポイントをお話ししていきましょう。

①結論から始める

誰もが知っている、報告するときの基本の形。もっとも言いたいことを端的に最初に言う方法です。

たしかに有効な場合が多いのですが、これも時と場合によりけりです。

プレゼンの提案内容として、プランAとプランBがあるという前提があるようなときなどはいいと思います。

たとえば、「私はプランAこそベストな選択だと思います。理由は次の通りです。……」のようなとき。あるいは、「弊社がお勧めしたいサービスは、こちらです。こちらを導入いただければ、御社の売り上げは2倍になります。詳しくご説明しましょう……」などのように、いきなり結論を言っても、聞いている人が戸惑わないようなときにはそれでいいでしょう。

しかし、プレゼンの内容によっては、もう少し導入部分、聞き手を誘(いざな)う部分を入れていく必要がある場合もあります。

②（つかむタイトルをつけた）概要（アジェンダ）から始める

聞き手を誘うという意味では、最低これは、プレゼンの最初にほしい情報です。聞いている人の立場に立てば、何についてどんな目的で話すのかわからないのは不安なもの。たとえるなら、行き先も秘密にされたミステリーツアーに連れて行かれるようなものです。

もちろん、ガイドさん（プレゼンター）が聞き手の方に信頼されていればだいじょうぶです。ただ多くのツアーは、どこで何を見、どれくらいの時間でツアーが終わるのかを最初に示します。そうしないとお客さんは不安になるからです。

ただし、概要として、「・弊社紹介　・御社を取り巻く経営環境　・弊社のご提案・今後の見通し」のようなタイトルをスライドで出すのは、私としてはちょっと残念な気がします。

「何がおかしいの？」と思った方も多いでしょう。もちろん、何の問題もありません。スライドのアジェンダにこんなタイトルをつけるビジネスパーソンがほとんどであるのも知っています。しかし、私には、それが不満なのです。なぜか。

「これは聞きたい！」というアジェンダになっていないからです。

少しでも興味を持ってもらえるような「見出し（タイトル）」をつけるように工夫するべきではないでしょうか。

たとえば、

・業界トップのノウハウで御社をサポート

- **今こそチャンスのとき！**
- **提案のカギは〇〇**
- **来年は反転攻勢へ**

のようなタイトルをつけてみるのです。話す内容は、それぞれ、会社紹介、クライアントの経営環境、提案紹介、今後の見通しです。

要は、聞いている人に、「何だろう、聞いてみたい！」と思わせる言い方をするのだ！　という**覚悟をタイトルに込める**のです。

大切なのは、

「話を聞いてみたい」と思ってもらうこと。
そのためには、「タイトルでつかむ」ことです。

③「あるある」から始める

ぜひ使いこなしてほしいテクニック。概要（アジェンダ）を紹介することよりも、さらに一歩踏み込んで聞き手をぐっとひきつける方法です。

それは、「皆さん、こんなことありませんか？」という内容で始めること。

たとえば、こんな感じです。

「経費精算、お好きですか？　そのためにいちいち出社しなくてはならないなんて時間の無駄ですよね」

このように、聞いている人が、「あるある！」「そうなんだよー！」など自分事として聞いてくれる話。そんな、聞いている人が思わずひき込まれる話から始めるのです。

そのあとにくるのはもちろん、「そんなときに役立つのが、このサービス○○」というソリューションにあたる部分です。このあとは、そのサービスの具体的な利点を話していくことになります。

実はこれ、テレビショッピングでよく使われている手法です。

「皆さん、暑くなってきましたね。そんなときに欠かせないのがエアコン！　今日ご紹介するのは、最新型！」のようなＣＭ。

「聞き手が食いつきやすい『そうそう！』『あるある！』という話でひきつける」方法です。いわゆる**「つかみ」**として、よく用いられています。

ただ、ふだんのプレゼンなどで前面に出して使うと、ちょっとあざとく聞こえすぎる場合もあります。そんなときはシンプルに「結論から話す」のがお勧めです。

たとえば、

「経費精算が面倒というあなたに役立つ、このサービス○○をご紹介します！」

こちらは、情報をスピーディーかつコンパクトに伝えるときに適した方法と言えるでしょう。柔軟に、場面に応じて使い分けられるようになると表現の幅も広がります。

④意外な話から始める

これがもっとも難易度の高い方法です。聞き手が想定していないような、「え？何が始まったの？」と思うような話でスタートするのです。たとえば、経費精算のサービスの話をするのに、こんな始まり方だったとしたらどうでしょう。

> **「7年前に私が実際に体験した出来事です。私はニューヨークに出張に行っていました。ある夜……」**

聞いているほうは「おいおい、何が始まったんだ？」とビックリしますよね。

もちろん、ビックリさせただけではダメです。なにせ、プレゼンには商品やサービスを気に入ってもらうなど、本来の目的がありますから。

ただ、それを裏切るような形で、違う話を始めるのです。

すると、聞いている人は思うでしょう。「だいじょうぶか？」。なかには、「いいから早く本題に入れよ」とイラっとする人もいるかもしれません。

もちろん、このような、聞き手に緊張を与える時間は長くはもちません。聞き手が集中力をなくしたら終わりだからです。だからこそ、**こんな不安な時間のあとに、「なるほどそうだったのか！」と聞き手に思わせる**ことができれば、ただふつうに説明すること以上に感動が生まれるのはおわかりになると思います。

ちょうど、伏線を張りまくった映画で、中盤から後半にかけて構造が見えてきたときの感動のようなものです。そこにたどり着くまでは、「どうやら今話している話が今日のプレゼンの狙いと重なるらしいぞ。もう少し聞いてやるか」と聞き手に思わせなくてはなりません。

そのためには、十分に練られたストーリーはもちろん、圧倒的な話すスキルや、物語を展開していくストーリーテリングの技術がないと、とても成立しません。

これだけ説明しておいて申し訳ないのですが、よほどの大舞台で準備時間もたっぷりある場合以外は、この方法は使わないほうがいいと思います（ただし、もし、あなたがＴＥＤに出ることがあれば、この手法はとても有効です）。

＊＊＊＊

最後の方法は難易度が高すぎましたが、「つかみ」がもっとも大切なのは、変わりません。①②③を、その場その場でうまく使いこなしていただきたいと思います。

構成法
基本
テクニック
4

ブッ切り厳禁！ 次を聞きたくなる「つなぎコメント」を

さあ、オープニングが決まったら、今度はそのあとの話の並べ方ですね。このあとというと、今、例に挙げている商品提案のプレゼンでしたら、「提案の詳細」「根拠」「提案の意義」「具体例」「提案によって得られるメリット」「コスト」「今後の見通し」などが考えられます。

順番については、正解はこれだけというわけではありません。内容にあわせて、時間の許す限りいろいろな並べ方を考えるようにしてください。

ただ、多くの方のプレゼンを聞いていて、ひとつだけ、どうしても気になることがあります。それは、**それぞれのパートが「ブッ切れ」で、「次のパートとのつながりが感じられない」「次の話を聞きたいという気持ちになれない」**ということです。

よくあるプレゼンのコメントの例を挙げます。

「最初に、今回の提案の概要をお伝えします。～ということになっております。次のスライドです。こちらはその詳細です。～となっております。次に、この提案に至る背景です。こちらは～」

いかがですか？　たしかに説明の順番は間違っていないのに、なんだか「ブッ切れ」に感じられないでしょうか？　ま、あまりにもこの形が多いので、違和感がない方も多いかもしれませんが。

でも、この言い方では、それぞれのパートの流れがいったん止まっては、また新たに別の話が始まる、その繰り返しですので、聞いているほうは「ああそうですか」としか思わない。あなたの話に引き込まれることはありません。

そうならないためには、**聞いている人に、次を聞きたい、見たい、という気持ちを起こさせる「つなぎのコメント」を入れること**です。たとえば、こんな感じです。

「今回の提案、簡単に言うと、こちらです。（スライドにキーワード出る）それは、**〇〇ということなんです。**少し詳しくご説明しましょう。**～です。**では、なぜこの提案をすることになったのでしょうか？　実は次のような**背景があるんです。」**

カラーの部分が、「つなぎのコメント」の例です。

まず、最初の**「こちらです」**。これを言われると、「何？」とスライドの文字を見ざるを得ません。

「少し詳しくご説明しましょう」「実は次のような～」も同じ働きをします。

それは、「このあとに聞くべき話がくるんだな」と聞き手の関心を導くこと。これらが、「聞きたい」と思ってもらうためのフレーズです。

さらに、**「なぜこの提案をすることになったのでしょうか？」**。このような「疑問文」のフレーズは、聞き手の関心を引くのに大きな効果があげられます。

このあとに続く「答え」をただ説明するよりも、その前に「聞き手に問いかける」ことで、聞き手を話に巻き込むことができる。「答えを聞きたい」と思わせるのです。淡々と説明をするよりも、話の展開のなかで少し「間をあける」効果もあります。

このようなフレーズをカットしたものを、改めて見てみましょう。

「今回の提案は、〇〇ということなんです。～です。その背景ですが、～」

文字だけ見るとシンプルでいいでしょう。でも、これを耳で聞くと、心に残りにくい。

聞き手の関心を導くための「つなぎのコメント」は、論理展開だけを考えれば、絶対に必要なことばではありません。しかし、これがあるのとないのとでは聞き手の印象は大きく異なります。

構成法
基本
テクニック

5

耳で聞いてわかる説明の基本「ざっくり→しっかり法」

全体の構成・流れができたら、次は、グループ分けしたそれぞれのパートの内容を作っていきます。このときの説明のしかたが重要！「一度聞いたらわかる」説明のしかたをしなければなりません！

書きことばは、読者各自が読みたいスピードで読み、途中でわからなくなれば好きなところに戻って読み直すことができます。しかし、話しことばはそういきません。一度聞き逃したら、録音した音声でない限り、元に戻ることはできません。

こうした状況のなかで大切なのは、緻密な論理以上に、**「聞いたその場で理解できる」説明のしかたをすることなのです。**

そんなときにお勧めの方法が、**「ざっくり→しっかり法」**です。私の造語です。これから話す内容は**「ざっくり」**言うとどういうことか、から話す。そのあと、補足することを**「しっかり」**話す。

「ざっくり」→「しっかり」の順番。

これを常に意識するという方法です。例を挙げましょう。
カフェで隣に座っていた女性がこんな話をするのを聞いたことがあります。

昨日さぁ、原宿に遊びに行ったんだけどぉ、竹下通りの真ん中あたりにあるクレープ屋があってぇ、すごい行列なのよぉ。なんかぁ最近できたところみたいでぇ、私も行ったことなかったからさぁ、入ってみようかなぁと思ってぇ、入ったのぉ。でぇ、出てきたのが花束みたいにきれいなクレープでぇ。すごいバエるわけ。見た目だけじゃないのぉ？　て思って食べてみたら、生クリームがめっちゃおいしくてぇ、もうビックリした！

友だち同士の会話ですので何も文句をつける必要はありません。当事者がそれでよければOKです。けれども、この内容を知らない人に、ビジネスの現場など限られた時間に効率的に伝えるにはどうしたらよいでしょうか？（この際、「クレープの話をビジネスでする？」という根本的な問いは置いておいてください。）

ここで使っていただきたいのが、**「ざっくり→しっかり法」**なのです。

この話、いろいろな要素が出てきますが、「ざっくり言うと」、どういうことでしょうか。「ざっくり」するためには、場所や時間、具体的なさまざまな描写を徹底的に省き、「要するに何？」と自分に問うていきます。

すると、こうなりませんか？

「昨日食べたクレープが、めっちゃおいしかった！」

以上です。

「いや、もっと言いたいんだけど」と思うかもしれませんが、そこが肝心。「もっと言いたいこと」は、あとで「少しずつ」「しっかり」説明していけばいいのです。

たとえば、こんな感じです。

昨日食べたクレープが、めっちゃおいしかったの！ 生クリームが、もうビックリするくらい！ 原宿で食べたの。竹下通りの真ん中あたりの店。すごい行列だった。最近できたみたい。花束みたいな形。すごくバエるの。

最初と比べていかがでしょうか？ とりあえず、何が言いたいかは最初のひとことでわかりますよね。そのあとに、情報を少しずつ付け加えています。こういう形で説明していくと、聞いているほうはストレスがたまらなくてすみます。

話しことばの弱点は、発したその瞬間から消えていくことです。そのため、何が言いたいかわからない話をずっと聞かされていると、あなたがせっかく話している中身が聞き手の頭のなかに残りにくくなります。

「要するに何が言いたいか」を「最初に」「簡潔に」伝える。
こうすることで、聞き手は「これからこういう話をするのだな」という「心構え」ができ、話の内容が頭に残りやすくなる。

これが、**「ざっくり→しっかり法」**の考え方です。

ほかにも例を挙げてみましょう。次のような文はどうでしょう。

プレゼンテーションをわかりやすくする方法には、話し方を聞きやすくしたり理解しやすくしたりするために、話し方でさまざまな工夫を行う音声的なアプローチと、聞いている人に「わからないなぁ」「ながいなぁ」「おもしろくないなぁ」と思われないように、話す中身を一度聞いただけでわかるよ

うに構成や説明のしかたを工夫する、話す内容そのものを根本的に見直すというアプローチがあります。

これは、字で読んでいるときは、上手な文章とは言えないものの、特にわかりにくさは感じませんね。しかし、これを例文にして、私がトレーニングしている方に一回聞いてもらい、「さあ、今私が何を話したか、内容を言ってみてください」と言うと、多くの方が「えーっと……。何でしたっけ?」「一部は覚えているんですが……」と答えます。

原因は、多くの修飾語など、情報が詰め込まれすぎていることにあります。

では、「ざっくり→しっかり法」を使って整理してみましょう。

この文の「要するに言いたいこと」は、何でしょうか?

それを探すヒントは、ほとんどの場合、**文の最後の述語に隠されています。** そこでまずは、この文の最後を見てみましょう。

「あります。」と書いてありますね。これだけだとなんだかわかりません。「何」があるのか？　そう、「アプローチ」があるんですね。

文全体に見る範囲を広げると、文の真ん中あたりにもう1つ、「アプローチ」ということばが出ています。これで、この文の言いたいことは「アプローチがある」ということだとわかりました。そのアプローチは2つ。

何のためのアプローチかは、最初の部分「プレゼンテーションをわかりやすくする方法には」という前提が存在します。

これが、この文章の「要するに言いたいこと」にあたり、そのほかは補足情報ということになります。では、並べ替えてみましょう。

プレゼンテーションをわかりやすくする方法には、2つのアプローチがあります。

ここまでが「ざっくり部分」ですね。このあとも細かく説明していきましょう。
「2つ」と言っているので、その2つが何かを早く教えてあげるのが親切です。

1つは、音声的なアプローチ。もう1つは、話す内容を根本的に見直すというアプローチです。

次は、それぞれを詳しく説明します。

音声的なアプローチは、話し方でさまざまな工夫を行うことです。話を聞きやすくしたり理解しやすくしたりするために行います。
話す内容を見直すアプローチは、一度聞いただけでわかるように構成や説明のしかたを工夫するものです。

最後に積み残した「目的」を付け加えます。

聞いている人に「わからないなぁ」「ながいなぁ」「おもしろくないなぁ」と思われないようにするためです。

いかがですか？　前の文より長くはなりましたが、聞いている側のストレスがなくなりそうなのはおわかりいただけましたか？

まず「ざっくり」話す。それは、「聞いている人がストレスを感じないように話す」という思いやりから出てくる話し方なのです。

そのあとの細かい内容も一気に話すのではなく、「少しずつ」区切って付け加えていく感覚で構成していきます。

と、ここまででもずいぶんわかりやすい原稿となりましたが、さらに、聞き手に「次を聞きたい」と思わせるテクニックがあります。それは、

「ざっくり→しっかり法」と「つなぎコメント」の組み合わせです。

プレゼンテーションをわかりやすくする方法には、2つのアプローチがあります。

1つは、音声的なアプローチ。もう1つは、話す内容を根本的に見直すというアプローチです。

音声的なアプローチは、話し方でさまざまな工夫を行うことです。話を聞きやすくしたり理解しやすくしたりするために行います。

話す内容を見直すアプローチは、一度聞いただけでわかるように構成や説明のしかたを工夫するものです。

聞いている人に「わからないなぁ」「ながいなぁ」「おもしろくないなぁ」と思われないようにするためです。

これだけでも、十分わかりやすくなったように見えますが、先ほどご紹介した「つなぎのコメント」を段落の最初に入れると、さらに聞き手をひきつけることができます。やってみましょう。


結論からお話ししますね。

プレゼンテーションをわかりやすくする方法には、２つのアプローチがあります。１つは、音声的なアプローチ。もう１つは、話す内容を根本的に見直すというアプローチです。


それぞれ詳しくご説明しましょう。

音声的なアプローチは、話し方でさまざまな工夫を行うことです。話を聞きやすくしたり理解しやすくしたりするために行います。

話す内容を見直すアプローチは、一度聞いただけでわかるように構成や説明のしかたを工夫するものです。

なぜそうするのか？

聞いている人に「わからないなぁ」「ながいなぁ」「おもしろくないなぁ」と思われないようにするためです。

いかがでしょうか？　カラーのつなぎのことばが、続く段落の「見出し」になっているのがおわかりになるかと思います。

このように、話しことばは特に、

何の話をしているか、しようとしているのかを常に聞き手に伝えるようにする必要があります。

構成法
基本
テクニック
6

つかみ力抜群！「びっくり→スッキリ法」

次にご紹介するのは、「ざっくり→しっかり法」の発展型、**「びっくり→スッキリ法」**です。

お祭しの通り、これは、**最初にインパクトのある「びっくり」するような表現で始める。そのあと、種明かしのような内容で「スッキリ」納得させる**、というもの。

たとえば、

人前で話すときにもっとも大切なのは、黙ることです。

「え？　話すときに黙る？　どういうこと？」って少し「びっくり」しませんでしたか？　しかしこのあと、こんな説明が続いたらどうでしょう。

のべつ幕なしに話すのではなく、文の切れ目などでしっかり間をとること。
「黙ること」こそ大切なんです。

「あ、そういうこと！」と、さっきの疑問が解消したことと思います。
これが「スッキリ」パートです。

このように、

最初に「え？」と思うようなことを言って「びっくり」させる。
そのあと、「あー、そういうことだったの！」と種明かしをして
「スッキリ」させる。

これが、最初の部分でしっかりと聞き手の心をつかむのに効果的なのです。

ちなみに、「びっくり」なしでふつうに言うと、こうなります。

人前で話すときにもっとも大切なのは、のべつ幕なしに話すのではなく、文の切れ目でしっかり間をとって黙ることです。

あっさりしていてよいのですが、ひきつけるパワーはあまり感じられませんね。

同じことを言うのにも、どの順番で話すのかを工夫することは、聞いてもらうために重要なことです。

ここはぜひ聞かせたいという場面、ここで聞き手の注目を集めたいという場面では、この「びっくり→スッキリ法」が役立ちます。

話しことばの原稿の構成法　基本テクニックのまとめ

①構成は、「広げて書き直す」
②自己紹介・自社紹介は短めに。長くても20秒で。
③つかみが大切。始め方のバリエーションを持つ。
　①結論から始める
　②（つかむタイトルをつけた）概要（アジェンダ）から始める
　③「あるある」から始める
　④意外な話から始める
④次を聞きたくなる「つなぎコメント」を各パートの前に入れる。
⑤「ざっくり→しっかり法」で、聞き手にストレスを与えない。
「つなぎコメント」を加えることで、聞き手の関心をさらに引き出す。
⑥「びっくり→スッキリ法」で、聞き手の心をつかむ。

1 抽象的な話のあとには具体例

話の中身にメリハリをつける

ここまでは、聞き手をひきつけるための説明の基本的なパターンをご紹介しました。ここからは応用編です。聞き手をひきつけるためには、説明のしかた以外にも大切なことがあります。それは「メリハリ」です。メリハリが必要なのは、「話し方」だけではありません。話の中身にもメリハリが必要なのです。

第1章の「話し方」のところでもお話ししましたが、プレゼンテーションやスピーチが一本調子になる（＝メリハリがない）と、聞き手の集中力は失われてしまいます。話の中身にメリハリをつけるための鉄則は次の3つです。

①抽象的な話のあとには具体例を入れる
②いい話、ためになる話を続けすぎない
③具体的なエピソードを交える

順に見ていきましょう。まずは、①の**「抽象的な話のあとには具体例を入れる」**です。

多くの方のビジネスプレゼンテーションをお聞きするなかで、いつも不思議に思っていたことがあります。それは、提案の目的や意義などを抽象的でかっこいい表現で述べることができていても、それが具体的にどういうことなのかを語らない方が少なくないということです。ＩＴ系、経営コンサルタント系など、緻密な理論が必要なお仕事の方々に特に多いように思います。

たとえば、ＩＴ系では、どうしても英語の略語など、カタカナ系の表現が多くなりがちです。私が起業してまもないころ、ＩＴ系の方々との会話で戸惑ったのが、「Ｃ

X、UX、DX、RPA、SaaS、MaaS、CASE……」などの略称が連発されることでした。もちろん、根本的には、私が無知なのがよくないのだとは思います。そんなとき、私はきょとんとしながら、「ものを知らなくてすみません。CXってなんですか？　UXもわからないんです」と言うと、「あぁ、カスタマーエクスペリエンスとユーザーエクスペリエンスのことですよ。それでぇ…」と、またそこから新たな話が始まります。

知らないことばがあると確認したいタチの私は、「カスタマーエクスペリエンスって顧客満足度のことですか？」と質問します。「あぁ、それはCSです。今話しているのはCXでぇ……」とまたさっきの説明に戻っていきました。すっかり取り残された気がして、あとのせっかくの話が耳に入ってきませんでした。

その後、耳にするようになったのは「DX」。今でこそ、これが「デジタルトランスフォーメーション」の略語であることはよく知られていると思います。しかし、私は最初聞いたときに、「今度は何のエクスペリエンス？」と思っていました。今回の

「X」は「transformation」の意味と知ったときは、どうなっているんだ！　と思いました。

こうした略語、カタカナ語を使っている方の気持ちはよくわかります。短い時間で伝えられて、早く話の核心に進められるからでしょう。もちろん、共通理解のある人同士の会話ならそれでいいんです。余計な説明はせず、どんどん先に進んだほうが生産的ですから。

しかし、共通理解があるかどうかわからない人が相手の場合は違ってきます。私の例のように、わからないことばがあったら質問できる一対一の状況ならまだしも、多くの方を前にして説明するプレゼンテーションの場合、わからないことばがいくつも出てきたら、**その時点で聞き手の心は離れてしまいます。どんなに内容が深いプレゼンでも、聞いてもらえなければまったく意味がありません。**

すると、こんな質問を受けることもあります。

「わかっている人が多そうな場合は、説明は省いてもいいでしょうか？　知っている話を聞かされるのは嫌でしょうから」

これも気持ちはわかります。ご自身が、知っている話を聞かされるのは嫌だからでしょう。でも、少し想像してみてください。逆に、自分が知らない話を聞かされ、説明も不十分なまま、どんどん先に進まれたときの気持ちを。こちらのほうが耐えられないのではないでしょうか？

知っている人に対する配慮をするのなら、ひとこと「ご存知の方もいらっしゃると思いますが、ここは大事なところです。少し丁寧に説明させてください」などと断れば、よく知っている人も「しかたないな。聞いてやるか」となるものです。

ぜひ心がけていただきたいのは、

聞き手がわかりにくい恐れのある話、抽象的な話のあとには、必ず具体例を挙げる

ことです。たとえば、こんな文章。

> ２０２０年代に入り、企業が成長していくためにはＤＸを進めることはもう待ったなしの状態です。さまざまな業務のデジタル化を加速させていくことで、これまでの業務のあり方、働き方を変容させていくことが求められているのです。

ここ数年、企業などが主催するさまざまなカンファレンスでは、基調講演や主催者の話のなかでまるで枕詞のように使われるフレーズになっています。ＤＸと言っておけば、とりあえず時代に合わせている感じは出る、そう思っているのではないかと思えてしまうくらい、頻発しています。

別にこの内容に触れることは問題ではないんです。このあとに、話者の方が実際に感じている具体例が続けば、陳腐さは防げます。たとえば、

２０２０年代に入り、企業が成長していくためにはＤＸを進めることはもう待ったなしの状態です。

ＤＸ、デジタルトランスフォーメーション。本当によく聞きますね。ご存知のように、デジタル化を進めることで業務のあり方や働き方などを大きく変容させていくことです。たとえば、コロナ禍でも話題になりました感染者数の把握のしかた。ファックスで各地から数字を送ってもらい、それを人力で集計して行われていることが明らかになりましたね。ここをデジタル化してデータを直接集計しているセンターに送ってもらい、自動的に結果が出せるようにする。そうすれば労力や時間が削減できるはずです。

コロナ禍によって各地で労働力が逼迫している今こそ、早急にデジタル化を加速させていくことで、これまでの業務のあり方、働き方を変容させていくことが求められているのです。

ＤＸについて知っている方にとっては、言わずもがなの内容でしょう。しかし、ＤＸについてよくわからない、あるいはぼんやりとしか理解できていない方にとっては、聞いたことのある身近な例はとてもありがたい説明になります。こうした人たちも取り残すことなく、しっかりと話についてきてもらうためには、**「具体例を入れる」**労力を惜しまないようにしていただきたいのです。

提案の目的や意義などを抽象的でかっこいい表現で述べることはできる。しかし、それが具体的にどういうことなのか、誰でもわかる表現で語らないのは、ひょっとしたら「語れない」のかもしれません。具体的な話をするほうが難易度は高いからです。

聞き手にも問題があることもあります。話されている内容がよくわからないにもかかわらず知っているフリをする。こんな高尚な話にうなずいている自分に満足していることもあります。

話し手としては、自分の説明は本当にわかってもらえているのか。**聞いている人のうなずきにだまされない！**　それくらい慎重であってもよいと思います。

2 いい話、ためになる話を続けすぎない

プレゼンテーションやスピーチを少しでもよくしようと思ってやってしまいがちなのは、いわゆる「いい話」「ためになる話」ばかりを続けてしまうことです。これをやってしまうと、思っている以上に早く聞き手は飽きてしまう恐れがあります。

どんなに尊敬できる先輩でも、過去の輝かしい業績をずっと聞かせ続けられるとお腹いっぱいになりますよね。それと同じように、たとえば新製品の紹介のときなど、製品の優秀さを連打したくなる気持ちはわかるのですが、そこは抑えてみることが大事です。1つ紹介したら、その具体例。ときには開発に至るまでの苦労や失敗談などのエピソード。こうしたものをうまく散りばめることで、せっかくのよさがかすまな

いようにするのです。

もちろん最後のまとめに、強みを連打することは問題ありません。

要は、聞いている人をしっかり最後まで導いて、離脱させなければいいのです。

自戒を込めて言いますが、自分で調子に乗って同じ種類の話を続けていると、聞き手の気持ちが離れていることに気づかないものです。お気をつけください。

話の中身にメリハリをつける

3 エピソードを交える

プレゼンテーションやスピーチ、就職活動の面接などで聞いている人をひきつけるのに大きな力となるのが、「具体的なエピソードを交える」方法です。この方法、結論や概要は先に、そのあと詳細や根拠を話すという、基本的な伝え方にはない技術が求められるため、なかなかうまくいかないという方も多いと思います。

そこで参考になるのは、お笑いの方のトーク術。なかでも私がお勧めしたいのが「人志松本のすべらない話」というテレビ番組です。

ダウンタウンの松本人志さんなどお笑い芸人10人ほどの皆さんが、カジノのルーレット場のようなセットを囲むなか、ホスト役でもある松本さんがサイコロを振ります。サイコロには出演者の名前が面ごとに書かれていて、出た目に名前が書かれていた人が、すべらない話（確実に笑える話）を披露するというものです。ここで披露される3分前後の話が、見事なエピソードトークの見本になっているのです。

多くのすべらない話の構成のパターン（フォーマット）はこんなふうになっています。

①最初は「〜の話なんですけど」と、大まかにどんな話かを伝えます。
②次に、いつ・どこで・誰がなど基本的な状況を説明し、出来事が動き出します。
③話が佳境に入るにつれ、客観的な描写から、自分がそのとき感じたことや実際の会話のやりとりなど、生き生きした描写が増えていきます。
④もちろん最後はオチ。

難しいのはオチですが、私たちがビジネスシーンでこの話し方を活用する場合は必須ではありませんので、ご安心を。納得さえしてもらえればだいじょうぶ。

ポイントは、

「的確な状況説明」と、「自分の感情や会話をしっかり描写すること」です。

一例を挙げましょう。

たとえば、社内での新事業、新商品の提案。提案には予算や事業の見通し、お客さまアンケートなどさまざまな客観データが大切です。そうしたデータをどれだけ論理的に構築できるかが説得のためのカギになるのはいうまでもありません。ただ、次から次にそうしたデータが紹介されてしまうと、理性的には納得できても、感情まで動かされることはなかなかない。そこで、こんなエピソードを入れてみます。

「我が社の新商品、意外なところが評判がよかったんです！　実は先週土曜に、新商品の試食会を駅前のスーパーで行ったんです。そうしたら赤ちゃんを抱っこした20代くらいのお母さんが来たんです。その方、パッケージを手にとると、『このパッケージいいわね。これだったら赤ちゃんが間違って飲み込まないから』って言って、すっとひと箱買ってくれたんです。ほかにも『手が汚れなくて使いやすいね』『買い置きしておいてもデザインがかわいいから邪魔にならないかもね』と話す人もいました。パッケージを手にとってほめてくれる人が17人もいたんですよ。私がいた2時間ほどの間に！　嬉しかったですよ～」

これが円グラフでも示しながら、「駅前のスーパーでアンケートを行いました。答えてくれたのは20代から40代の主婦50人。実に67%の方がパッケージをほめてくれました」という報告だったらどうでしょう。インパクトに欠けます。

具体的なあなたの見聞きした情景やことばを、聞いている人の頭のなかにありありと思い浮かばせることができれば、数値では出せない説得力が生まれます。

聞いている人の脳内に、どれだけありありと情景を浮かばせることができるか。

ひきつける話し方のためのカギはこれにつきます。

前のパート で「具体例を入れる」ことをお勧めしたのは、その一例です。

聞いている人をひきつけるためには、ためになる内容もさることながら、状況を説明する力、**実際に見たこと聞いたことを生々しく再現する描写力**があると有利になります。

芸人さんのエピソードを語る様子のほか、ラジオのスポーツ中継でのアナウンサーの実況描写など見本にできるものはたくさんあります。**録音や録画をし、それを文字に起こせば、**頭に絵が浮かぶ説明のしかたの秘密が、はっきりとわかります。

話しことばの原稿の構成法　メリハリのつけ方のまとめ

①抽象的な話、わかりにくい話、専門用語、新しいことばなどのあとには、具体例を入れる。

②いい話、ためになる話ばかり続けない。聞く側は、お腹いっぱいになって、途中離脱してしまう可能性大。

③的確な状況説明と、自分の感情や会話の描写で、聞いている人の脳裏に、ありありと情景を思い浮かばせることを目指す。エピソードを語る芸人さんやラジオのアナウンサーのスポーツ実況中継を録画録音し、文字起こししてみるのも、学びの方法のひとつ。

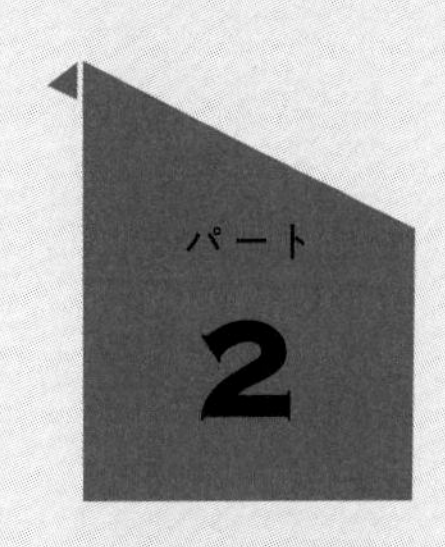

話しことばの原稿の「文」の秘訣

パート1では、プレゼンやスピーチ原稿の作り方として、その構成のしかた、どういう内容を、どういう順番で、どのようにつなげていくか、について、テクニックをご紹介しました。

ここからは、推敲。具体的な文章、ことば遣いについて、お話ししていきます。

効果的に話すための「書く技術」です。

話す「文」基本テクニック

1 1文25文字の法則

プレゼンテーションなどで話すときには、あえて原稿は書かない。そうおっしゃる方が少なくありません。理由を聞くと、「原稿に書くと話しにくいから」「棒読みになってしまうから」「臨場感が出せなくなるから」と答える方が多いようです。

では、なぜそうなってしまうのでしょうか？

私は、クライアントの方々にいつもこう話しています。「話しやすい原稿になっていないいんですよ」と。実は、「話しやすい原稿」を書くのは、さほど難しいことではありません。誰もができるコツがあるんです。

NHKでは、中継やスタジオ番組で話すコメントの内容は、担当ディレクターが決めていましたが、それを実際にどう言うかは、アナウンサーに任されていました。私は、先輩アナウンサーが放送で話しているコメントを文字に書き起こしたりしながら、何か法則のようなものはないか、自分なりに研究しました。

答えは比較的早く出ました。

わかりやすく話すアナウンサーは、話す文章が短い。

しばらくしてわかったのは、話す文が短いことは、優れたアナウンサーだけではなく、お笑いの方やテレビのバラエティーで活躍する人にも共通する特徴でした。

話しことばは、一度発せられたらすぐ消えてしまいます。ここが書きことばとの大きな違いです。受け取る側が自由に前の文に戻ることができないのです。

ですから、とにかく

一度聞いただけでわかる文にすること。

これが聞いている人に親切な話しことばのもっとも大切な点です。

パート1の「ざっくり↓しっかり法」のなかでもお話ししたように、

1つの文にいろいろな情報を詰め込まないようにすることです。

では、短いといったらどのくらいかというと――あくまで私の目安ですが、1文は25文字以内が理想です。

この文字数だと、一息で1つの文が話せるからです。

時間でいうと、5秒前後かと思います。

文が長くなっても話せるのは、文の途中で息継ぎをするから。だったら、その息継ぎ部分を文の切れ目にすればいい。そう考えたのです。

1文はできる限り25文字以内におさめる。

どうですか、この文章だったら、声に出して楽に話せるでしょう？

そうなんです。文が短くなると、聞いている側が、理解しなくてはならない情報量が少なくなって楽になるのはもちろん、**話す側も「文が短くなると楽に話せる」**のです。

聞き手のためにも、自分のためにも、これくらいの長さの文で話しことばを作ってみてください。

話す「文」基本テクニック

2 ゆったりと息継ぎをする

息継ぎの話が出たので、お伝えしますと、実は、**「息継ぎ」こそが、聞きやすい話し方のカギです。**

私はここ数年、いろいろな方の話し方のトレーニングに携わるなかで、そう確信するようになりました。

社長さんやビジネスパーソンの方の話を聞いていて、「なんだか忙しいな」「落ち着きがないな」「話が入ってこないな」「説得力があまりないな」と感じるときがあります。その原因の多くは、たっぷり息を吸わずに話していることです。

次の内容を早く話したい。あれもこれも伝えたい。そう思うと、早くことばにしようと、息を深く吸わず忙しく話すようになります。泳ぎの下手な人がおぼれないよう必死で息継ぎをしているイメージです。泳ぎのうまい人は、ゆったりと息を吸って、ゆったりとストロークを刻んでいきますよね。泳ぎがきれいなだけではなく、スピードも速い。

話し手の息継ぎが大切なのは、実は聞く側にとっても言えることなんです。話す人が息を吸う間をあけてくれることで、**聞く側も一休みできる**のです。この休みの間に、聞いた話を反芻したり、これまでの話を自分なりに解釈したりしているのです。誰かのプレゼンを思い出してみてください。そんな感じではありませんでしたか？よほど話がおもしろいなどのトークスキルがあれば別ですが、のべつ幕なしに話すのは、正直言って聞き手にとっては迷惑です。

ちゃんと聞いてもらいたかったら、呼吸はゆったり。
忘れないでください。

文を短くする
実践
テクニック

1 とにかく1文を短くしよう

「文を短くしましょう。できれば1文は25文字以内で」

そう言うと、なんだかすぐできそうな気がするでしょう。しかし、最初は苦労する方が多いようです。というのも、仕事では、こんな長さの文章って、挨拶のことば以外ではあまり書くことはないからです。ちょっとまとまったことをしっかり書こうとすると、どうしても1文1文が長くなります。

そこで、どうすれば文を短くすることができるか、そのコツを伝授します。

例文はこちらです。トヨタ自動車の豊田章男社長が、2018年3月期決算で話したとして公開されている文章の一部です。

①最後に、未知の世界での闘いに臨むにあたって、私の決意をお話ししたいと思います。
②私は、トヨタを「自動車を作る会社」から、「モビリティ・カンパニー」にモデルチェンジすることを決断いたしました。
③「モビリティ・カンパニー」とは、世界中の人々の「移動」に関わるあらゆるサービスを提供する会社です。
④これは、「従来の延長線上にある成り行きの未来」と決別し、「自分たちの手で切りひらく未来」を選択したことを意味します。
⑤100年に一度の大変革の時代を、「100年に一度の大チャンス」ととらえ、これまでにないスピードと、これまでにない発想で、自分たちの新しい未来を創造するためのチャレンジをしてまいります。

さすがですね。はっきりとした力強いメッセージが伝わってきます。

もちろんこれで十分素晴らしいのですが、実際、これを声に出して話してみると、わかることがあります。

最初の段落以外は、一息で話すには少し苦しい。ちゃんと息継ぎをしないと、最後まで言えません。

そこであえて私は、お節介にも文を短くして、もっと「話しやすく」「聞きやすく」「メッセージが力強く伝わる」言い方にしてみようと思いました。

こんな感じです。

①私たちは、これから未知の世界での闘いに臨みます。最後に私の決意をお話しします。

②私は決めました。トヨタをモデルチェンジします。これまでは「自動車を作る会社」でした。これからは、「モビリティ・カンパニー」になります。

③モビリティ・カンパニーとは何か。それは、世界中の人々の「移動」に関わるあらゆるサービスを提供する。そんな会社です。
④私は決めたんです。「従来の延長線上にある成り行きの未来」は選ばない。「自分たちの手で切りひらく未来」を選びます。
⑤１００年に一度の大変革の時代。そう言われています。違います！　私はこうとらえています。「１００年に一度の大チャンス」であると。これまでにないスピード。これまでにない発想。自分たちの新しい未来を創造するため、チャレンジしていきます。

いかがでしょうか？　ちょっとパワフルすぎるかもしれませんが、声に出して話すと楽に話せる原稿になっていませんか？

しかもメッセージは、よりはっきり伝わってくると思うんです。

では、具体的に、どんなことをしたのか、これから解説していきましょう。

文を短くする実践テクニック

2 1つの文に述語は1つ

最初の段落の文章は、元はこうなっていました。

最後に、未知の世界での闘いに臨むにあたって、私の決意をお話ししたいと思います。

こちらは、もちろんこのままでも十分わかりやすいのですが、あえて「臨む」「お話ししたい」という述語ごとに分けてみました。

私たちは、これから未知の世界での闘いに臨みます。

最後に私の決意をお話しします。

こうすることで、「闘いに臨む」という緊張感、「私の決意」という強い意志が、よりはっきり出ると思います。最後の「～したいと思います」は、柔らかい印象を与えるというメリットもありますが、ここは最後のキメの部分ですから、あえて「言い切る」ようにしてみました。

そのほかの②～⑤の段落も、述語だけに限らず、とにかく文を短く分けることで、一つひとつのことばがさらに引き立つようにしています。

文を短くする
実践
テクニック
3

英語を見習え。述語を早めに

私は、トヨタを「自動車を作る会社」から、「モビリティ・カンパニー」にモデルチェンジすることを決断いたしました。

述語（述部）は、「主語がどうなのか」を表す部分です。この文章の述語は「決断いたしました」です。社長が「決断した」という強いことばが出ている大切な部分です。こうした述語は、目的語などを省いて、それだけを先に言うと、より効果的です。

私は決めました。トヨタをモデルチェンジします。これまでは「自動車を作る会社」でした。これからは「モビリティ・カンパニー」になります。

いかがでしょうか？　まず、「決断しました」を「決めました」に変えました。漢語をなるべく避けることで、スムーズに聞き手の耳に届くようにしたかったからです。また、話し始めのところで、「私は決めました」ということで、**「決めた」という述語がはっきりと響いてきます。**さらに、聞き手をひきつけるもう1つの利点も生まれています。それは「決めました」の目的語が示されていないことです。ここで文を切ることで、聞き手が「決めた？　何を？」とひきつけられる効果が得られるのです。

かのキング牧師の「I have a dream」の演説も、まず「私には夢がある」と言ったあとどんな夢かを説明します。これは英語の語順によるところが大きいのですが、日本語でも同じように、説明を後ろにすることで聞き手の興味をひきつけられます。

このように「述語を早く言う」ことで、まず言いたいことをざっくりと伝えることができる。さらに**その述語に対して「何を」にあたる、英語でいう目的語を後ろに置くことで、聞く人の興味をひきつけることができます。**人前で話すときには「述語を早く言おう」と意識するだけでも違ってきます。

文を短くする実践テクニック

4

体言止め、倒置法を恐れず用いる

１００年に一度の大変革の時代を、「１００年に一度の大チャンス」ととらえ、これまでにないスピードと、これまでにない発想で、自分たちの新しい未来を創造するためのチャレンジをしてまいります。

こちらの文章は、このように変えました。

１００年に一度の大変革の時代。そう言われています。違います！　私はこうとらえています。「１００年に一度の大チャンス」であると。これまでにないスピード。これまでにない発想。自分たちの新しい未来を創造するた

め、チャレンジしていきます。

前半部分は、「100年に一度の〜」というキーワードが対の形で出ている、いわば聞かせどころです。そこで、あえて前後に何もつけずキーワードのみにしました。体言止めのもっともシンプルな形です。

こうすることで、キーワードがより引き立ちます。また、話すときもキーワードだけを言うほうが、余計なものがつくときよりも力強く話せるはずです。

同様に「これまでにない」も対句になっているので、それぞれを分けて体言止めにします。こうすることで、話したときにことばの余韻も生まれ、印象が強くなります。

また、**「私はこうとらえています。「100年に一度の大チャンス」であると。」**の部分は「倒置法」を使っています。

通常の日本語の語順では、述語は文の最後に置くのがふつうです。しかし、ここでは、「とらえています」という述語を前に置き、目的語にあたる「100年に一度の大チャンスである」という部分を後ろにもっていっています。**述語の「とらえています」をいきなり言うことで、聞いている人に「どうとらえているの？」と期待を持たせるという効果を狙ったわけです。**

そう思わせてから、「１００年に一度の大チャンス」と言ったほうが、通常の語順で話すより強い印象を与えることができます。

倒置法が非常に効果的に使われたスピーチがほかにもありました。それは、東北楽天ゴールデンイーグルスの嶋基宏選手が２０１１年、東日本大震災の復興支援のために行われたチャリティゲームで話したものです。

見せましょう、野球の底力を。見せましょう、野球選手の底力を。
見せましょう、野球ファンの底力を。共に頑張ろう、東北。
支え合おう、ニッポン。

このスピーチに感動した方、記憶にある方も多いと思います。倒置法の5連発、非常に強くことばが迫ってきます。述語だけを先に聞かされた側は、「え？　何を？　何が？」など、不足している主語や目的語が話されるのを待つため、そのあとのことばが強く聞き手に響くようになっています。

試しにふつうの語順にしてみるとこうなります。

野球の底力を見せましょう。野球選手の底力を見せましょう……

内容は変わりませんが、野球の底力・野球選手の底力というキーワードは目立ちませんね。

日常の会話で、このような体言止めや倒置法などを使うとちょっと大げさだったり、格好をつけすぎている印象を与えるかもしれません。しかし、大切なプレゼンテーションやスピーチの、ここ！　という場面では、ぜひ使っていただきたい。聞き手には、案外、自然に聞こえるものです。

文を短くする実践テクニック

5 修飾語句は別の文に分けて、後ろに置く

何が言いたいかをできるだけ早めに聞き手にわからせる。

これが話しことばでは特に大切だということはおわかりいただけたかと思います。ご紹介する最後のテクニックは、「修飾語句は別の文に分けて後ろに置く」という方法です。新製品の発表会を想定した例文を挙げてみます。

> 弊社の製品開発部全員が丸1年をかけ、総費用2億円をつぎ込んで作り出した新製品をご紹介しましょう！

読むと特に問題ないようですが、口に出してみると少し長く感じると思います。そこで、まず「述語を早く言う」ことから始めます。

ご紹介しましょう！

一気に勢いが出ませんか!? 「何を紹介してくれるの？」という期待も高まります。
しかし、問題はこのあとです。

ご紹介しましょう！　弊社の製品開発部全員が丸１年をかけ、総費用２億円をつぎ込んで作り出した新製品です！

キレをよくするには、後半も短くしたいですね。
後半の文をよく見ると、「弊社の」から「作り出した」まではすべて、そのあとの「新製品」を修飾する語句になっています。ここが長すぎるのです。

紹介したいのは新商品だということを早く伝えるべきで、どんな新商品かはあとで説明してもかまわないはずです。そこでこうしてみます。

ご紹介しましょう！　新製品です！　弊社の製品開発部全員が丸1年をかけました。総費用は2億円。こちらです！

どうですか？　修飾語句はあとに置いたほうが、聞いていてテンポがよくなりますね。

これまで紹介したように、**まず述語を早く言って、言いたい文章の骨組みを先に話す。修飾語句は、そのあとに別の文章として置く。**

この方法、使い勝手がいいので、覚えておくとよいでしょう。

話しことばの原稿の「文」の秘訣のまとめ

①1文25文字、一息で楽に読める長さがいい。聞く側も落ち着く。

②1つの文に述語は1つ。

③英語を見習い、述語は早めに。目的語は、興味を引いて、あとから。

④体言止め、倒置法を恐れず用いる。

⑤修飾語句は、別の文に分けて、後ろに置く。

第3章 インパクト大、差がつくプレゼンテーションでの話し方

雑談ではなく、ちょっとまとまった話をする、という場合、ビジネスの場で、ごく一般に必要となってくるのが、プレゼンテーションでしょう。

かつてのスティーブ・ジョブズの新製品発表会並みの大規模なものでなくても、社内の小さな会議、取引先での商品紹介、あるいは、就職の面接の際の自己アピールや私的なトークセッション等々、プレゼンをする機会は誰にとっても、ごく日常的なことになってきています。

ここでは、ちょっと改まった大事なプレゼンを例に、第4章でもご紹介するさまざまな場で応用できる原則をご紹介します。

最初の準備

1 まず、スケジューリング！

いきなりですが、プレゼンをすることになったら最初にやることは何でしょうか？　データ集め？　スライド作り？　それとも原稿を書くこと？

私のお勧めはそのどれでもありません。**最初にやるのは、プレゼンの本番の日までの工程表＝スケジュールを作る**ことです。

私のお客さまに、プレゼンをすることになったらどんなふうに準備をしているか聞きますと、「ギリギリまでスライド資料を作っているので、しゃべる練習までは手が回らないんですよ」という方がとても多いんです。

「あるある！」と納得してはいけません。

プレゼンは、聞いている人に話している内容をしっかりと理解してもらうことが何より大切です。

そんなにスライド資料に全力を投入するくらいなら、いっそ資料だけ配ってまったく話さないほうが下手なしゃべりを聞かされるより、よほどましです。

話す内容をいつまでに完成させるのか。それにあわせたスライドはいつまでに仕上げるのか。リハーサルとして話してみる時間、そこから得たフィードバックを反映させるスケジュールも確保しなくてはなりません。それができてはじめて、よいプレゼンができるのです。

本番までの時間を逆算すること。これが準備段階で、最初に行うべきことです。

最初の準備

2 最低でも本番前日1日は、「話す練習」にあけておく

話の展開の骨格作り、コメント作成、スライド作成、話す練習など、それぞれ何日くらいかけられるのか、スケジュールを立てます。

なかでも、**わかりやすく聞きやすい話し方をする練習のために、最低、本番直前の1日はスケジュールをあけておく**ようにしましょう。

おそらく、そんなことやったことがない、という方が大半だと思います。「話し方は3割と言ったじゃないか。大事なのは、中身でしょう?」と。

たしかにそうです。その中身、話したときに伝わりやすくするための原稿作りについて、ここまでお話ししてきました。でも、そのせっかくの原稿も、ろくに話す練習

をしなかったら、生かされません。

あえて言いますが、プレゼンがうまくいかないという方の原因は、単純に話す練習が不足していることがほとんどです。こう言い切れるのは、プロのアナウンサーだって、若手のうちは練習しないとうまく話せないからです。

よく朝のニュース番組などで、季節の話題を日本各地から生中継する数分のコーナーがあります。私も新人アナウンサーのころは、よく担当しました。

では、その数分の生中継をするのにどれくらい練習すると思いますか？　本番前日から本番直前まで100回ではきかないくらい何度も何度も口に出して練習します。話すことだけではありません。当日の映像や動きを想定しながら、身振り手振りも交えて練習します。

なぜそこまでするのか？

それは、原稿に書いてあることばを「暗記してそれを読み上げる」のではなくて、「自分自身の本当のことばとして話せる」ようにするためです。

自分で書いた原稿なら自分のことばとして自然に話せるわけではないんです。アナウンサーの間では、「内容を自分のものにしている」という言い方をすることもあります。そうなるためには、よほどの天才でない限り、何度も声に出して話す練習をすることが当たり前でした。

私のお客さまにも、「うちの社長は話すのが下手で……」とおっしゃる経営企画室や広報の方がいらっしゃいます。しかし、よくよく聞くと、本番直前までコメントが決まらないのがふつう。話す練習がまったくできないまま、社長が本番に臨んでいることが非常に多い。そんな実情がわかってきました。

社長の気持ちになってみてください。そんな直前にもらった原稿をすらすらと読めるものでしょうか？　話すプロでもない限り、そんなことは無理です。

つまり、社長の話し方が悪いのではなく、話す練習をする時間がとれていないこと

が問題なのです。スケジュール管理が甘いんです。私が「話し方は3割」と言うのには、こういう意味もあります。

原稿に書いてあることばを、「暗記してそれを読み上げる」のではなく、「自分自身の本当のことばとして話せる」ようになるまで、何度も声に出して練習する。

会社を代表しての重要なプレゼンテーションのような場合には、話す人がひとりで練習するのではなく、できれば誰かの前で本番さながらにリハーサルをして、フィードバックをもらえるようにしたいところです。

スライド作り 1

最初からいきなりスライドを作らない

プレゼンをすることになったらとりあえずパワーポイントやキーノートを開いて、必要な図表などを集め、伝えたい文言を並べて、スライドを作り始める方がいます。気持ちはわかります。資料を作っておけばなんとなく形ができて安心できます。自分の頭の整理のためにも資料を作ってみるという方もいるかもしれません。

これが落とし穴です。スライドを作り込むうちにそのスライドを充実させることや見栄えをよくすることに気をとられ、結局、与えられた時間内で話せる内容以上のスライドを作ってしまう。そうやって頑張って作ったスライドだけに、説明する時間がないのがわかっていても、捨てるに忍びなく、全部盛り込んで結局、よくわからないプレゼンになってしまっている例を頻繁に見ます。

スライドよりもまず言いたい内容をしっかりと固めること。

内容の固め方の基本は、第2章の最初のところでご説明した通りです。私の場合は、

言いたいことをどんどん口に出していき、それを録音する。
それを再生しながら、何から話し始めればいいか、
どこを省いたらいいかなどを判断する

ことが多かったです。いきなり口に出すのが苦手な方は、まずパソコンで、言いたいことを、整った文でなくていいのでとにかく書き出して、そのあと構成を考えるようにするとよいでしょう。

スライド作り

2 あなたの話すことばが主、スライドは従

構成や話したい内容が決まり、いよいよスライド作りに入ります。デザインのしかたなどは、ネットの記事やさまざまな本が出ていますので、そちらを参考になさってください。私からお伝えしたいのは、**スライドは、話すことをわかりやすく伝えるために使うもの**だということ。最優先なのは、「あなたの話」であるということです。

プレゼンのなかで言及しないようなことまで盛り込まれているスライドをよく見かけます。スライドの充実度や手元資料として活用することを考えているのなら、そういう方法もあり得るでしょう。しかし、プレゼンで使うスライドは、目的が違います。聞き手の耳から入る情報を、しっかりと聞き手の心に定着させるための補助とし

て使うものです。あなたがプレゼンで話していることばや情報のなかで、

聞き手にちゃんと記憶に残しておいてほしいものだけをスライドに出す

ことをお勧めします。

またスライドを出すタイミングも重要です。

これから話すことが先にスライドに書かれていると、聞き手は話を聞くよりも、今見えているものを全部読もうとします。すると、あなたがスライド後半の部分を話したときには、聞き手はその話をすでに知っていることになります。

いわゆる**ネタバレ状態のスライドになってしまうんです。これでは、聞き手をひきつけることはできません。**

それを避けるためにも、話に合わせてアニメーションを使って文字が浮かび上がるようにする演出は必要でしょう。ただし、使いすぎには気をつけて。

演出 1

スティーブ・ジョブズのように話したい？

内容以外に、どんなふうに見せるか、演出面についてもお話ししておきましょう。

プレゼンテーションについて意識の高いお客さまが、私に必ずリクエストしてくることがあります。

それは、「スティーブ・ジョブズみたいなプレゼンをやってみたいんです」ということ。

わかります。さまざまなプレゼンテーションを扱った本に、お手本として紹介される数々のプレゼンやスピーチをした人ですからね。

そんなリクエストを聞いた私は、いつもこう答えています。「本当にそれだけの覚悟がありますか？」と。ちょっと厳しい言い方かもしれませんが、本当にそう思っています。

ｉＰｈｏｎｅを発表したときのプレゼンテーションの動画をぜひ検索して見てください。彼のことばと見事にシンクロした、シンプルで見やすくデザインされたビジュアル主体のスライド。

期待を煽る部分だけでなく、適度に笑いを誘う余裕。いよいよ新商品の登場というときのタメ具合。

これらは、彼の周りにいる極めて優秀なスタッフの綿密な演出上の議論、何より話し手であるジョブズ氏自身の訓練が、相当な長期間にわたって積み重なってはじめてできることです。

誰も絶対にマネできないということはないと思います。しかし、あそこまでいくには、たいへんな労力を費やす必要があるのです。

そこまでやる覚悟がありますか？　必要がありますか？　ということです。

演出

2 歩きながら話すことは必要か？

たとえば、彼のようにステージを歩きながら聴衆に語りかけたいというお客さまがいます。簡単に「ステージを歩きながら」と言いますが、あんなふうに自然に、かつ堂々と歩くことがどれだけ難しいか！

私の例を挙げて恐縮ですが、私もステージなどを歩きながら話した経験はありません。アナウンサーになり立てのころは、この「ただ歩く」ことさえ、自然にできませんでした。

旅の番組で、新人アナウンサーの私が、旅人役でどこかの道を歩くシーンを撮影したときのこと。カメラマンやディレクターから、何度もNGを出されました。

「そそくさと歩くな」「歩き方が固い」「視線が泳いでいる」「表情が気持ち悪い」

……。まあ、言われ放題でした。でも実際その通りだったんです。

ふだんはふつうにできていることでも、カメラを意識した瞬間に何かがおかしくなるんでしょうね。

カメラを意識せず、かといってあまりカジュアルになりすぎないよう、テレビに映るに耐え得るだけのちゃんとした歩き方ができるようになるまで結構な時間がかかったものです（最後までできなかったような気もします……）。

聴衆を前にして、演台に立って自然に歩きながら話す。実は本当に難しいことなんです。たいていの人は、足や手が緊張から棒のようになって、おもちゃの兵隊のような歩き方になってしまう。あるいは逆に、とにかく動くことを意識するあまり、必要以上に歩き回る。さらに、背中を丸めて姿勢がよくない状態で歩くと、ステージを徘徊しているアブナイ人に見えることすらあります。

だから私は、いつもお客さまに提案しています。

「無理に歩かなくていいですよ」と。

演出

3 身の丈に合った演出を！

歩くだけではありません。アメリカのアカデミー賞で受賞スピーチをしている俳優のように、両手を大きく広げたりしながらジェスチャーを入れて話してみたい。そんなお客さまもいます。

日本でもメディアトレーニング、プレゼンテーショントレーニングとして、こうしたジェスチャーや動きをつけて話すよう指導されることがあるようです。もちろん、言われた通りできる人はいいでしょう。しかし、ドメスティックな環境で生きてきた私のような多くのふつうの日本人には、一朝一夕でそんなことができるはずはありません。やってきた経験がないんですからしかたありませんよね。

しかし、無表情で棒立ち、だとさすがに厳しい。では、どうすればよいのか？

動きや表情についての私からの提案は、

形から入らず、気持ちから入る

という方法です。


これも私の経験で恐縮ですが、先ほどお話しした旅番組のロケのときに、先輩のディレクターから言われたひとことがヒントになりました。

それは、「とりあえず何か演じようと思うのはやめよう。のんびり歩いてみよう」というものでした。

松本が今回の撮影で楽しみにしていることを頭に浮かべながら、のんびり歩いてみよう」というものでした。

最初からうまくはできませんでしたが、段々とふつうに歩けるようになっていきました。それは、「演技ではなく、本当にそう思う」ということができるようになってきたからではないかと思っています。

歩きだけでなく、表情や動きもそうです。私もアナウンサーになり立てのころは、アナウンサーらしく振る舞おうとして、かえってロボットみたいな不自然な感じに見えていました。それが、「もうこのままでいいや」とかっこよく見せることをあきらめ、「等身大の自分が本当に思っていることを一生懸命に伝えればいいんだ」と思えるようになったとき、自然な表情や動きができるようになっていった記憶があります。

この方法のよいところは、「演じる」という不自然さから解放されること。「相手に伝える」という一点に意識を集中できるようになることです。

誰かあこがれの人のように話してみたい、という気持ちは大切です。しかし、プレゼンテーションの目的をもう一度考えてほしいのです。それは、

あなたが伝えたいことを聞き手にしっかり届けること。
聞いている人の心を動かし、行動を促すこと。

ですよね？
あなたが、自分のなりたい姿を相手に見せることではないはずです。

伝えたい内容に集中する。それを一生懸命に伝えようと思う。
その結果、自然に出てきた動きや表情こそが、
あなたらしい本当の伝え方です。

あとは、周りの人のアドバイスを聞きながら、気になるような動きなどがあったら調整していくという方法が、もっとも現実的だと思います。

話す練習 1

ひとりで練習するときの3つのポイント

話す原稿、スライドができあがったら、本番前日、いよいよ話す練習です。

そもそもですが、本番のプレゼンテーションの前に「話す練習」はしていますか？

一度通しでしゃべって時間を計ってみるくらいでしょうか？

それでは残念ながら十分とは言えません。伝わるプレゼンのためにはどこに気をつけて練習したらいいのか、お話しします。


話す練習は2つの段階を経ることをお勧めします。最初は個人練習。次が、仲間に見てもらっての本番を想定した練習です。まず、個人練習から、ポイントをお話ししましょう。

①必ず録画する

画質は問いません。スマホでもあなたの話している姿とスライドが同時に見えれば十分です。録音でもいいと思われるかもしれませんが、そうではありません。

音だけ聞いていたら問題のないプレゼンでも、たとえばあなたの話す姿がずっとスライドや手元のメモを読み上げているものだとしたらどうでしょう。聞き手をひきつけることが難しいことは、録画を見れば一目瞭然です。

ほかにも、話す内容とスライドの切り替えのタイミングが合っているかなども、動画でなければわからないチェックポイントです。

②時間配分をチェックする

大切なのは、**話す内容のブロックごとにラップタイムを計る**こと。トータルの時間を計るのは当然ですが、もし時間が長すぎた場合、どこを削るかはブロックごとの時間を計っておくと、削らなければいけない部分を客観的に判断する際の参考になります。

③自然に話すための練習

そして、いよいよ自然に話す練習です。

最初は、用意した原稿を見ながら、**誰か目の前に人がいることを想定し、その人に向かって話す**ようにします。

1回や2回では、とても自然に話せるようにはなりません。最低でも5回以上は話すようにしてください。

それくらい話していると、段々と話の流れや、次に何を言わなければいけないか、考えなくても自然に浮かんでくるようになります。この状態になってようやく人前で落ち着いて話せるレベルということになります。

いかがでしょうか？　ここまでやってきたという方は、ほとんどいないと思います。私の新人アナウンサー時代は今のようなスマホがなかったため、最初に挙げた録画はできませんでした。その代わりに録音をとり、ブロックごとの時間を計り、話す練習を10回以上は必ず行って本番に臨んでいました。

プロだから当たり前と言えば当たり前なのですが、放送に出せるクオリティーにするにはそれくらいの準備はふつうです。

「話し方がうまくならないんです。どうすればいいんでしょうか？　才能がないんですかね」とおっしゃるお客さまには、いつも「練習が足りないだけです。お手伝いしますから、一緒に練習しましょう」と申し上げているのには、こんな背景があるのです。

面倒くさいとは思います。しかし、練習すれば誰もが伝わるプレゼンができることは保証します。

話す練習

2 あえて崩す技

この段階までいったら、ぜひあと一工夫やっていただきたいことがあります。これをやっているのとやっていないのとでは、聞き手をひきつけるパワーが大きく違ってくること。それは、

無駄なことばをほんの少し、わざと、入れる

練習です。

「え？　無駄なことばはなるべく省け！」って言ってたんじゃないの？　と思われま

したよね。その通りです。無意識で出てしまうような口癖や、「えーと」「あのー」などの無駄なことばはできる限りなるべく減らすようにしなくてはいけません。

しかし、そうした無駄なことばがまったくないのも非常に機械的に聞こえることがよくあります。また、あまりに文章やことばが整っていると、ものすごく準備してきたのがバレバレで、聞いているほうがさめてしまうことも考えられます。

そこで、**「あえて意識的に」語尾などを少し崩したり、情報的にはそれほど価値がなくても、自然な会話に聞こえるようなことばを少しだけ付け加えたりして話してみる**のです。たとえば、原稿の元の形がこんなものだったとします。

> 長引くコロナ禍でたいへんな状況が続くなか、社員の皆さんにおかれましては、しっかりとお客さまに対応していただき本当にありがとうございます。

まずいったん、これまでお話ししてきたように文を短くします。

コロナ禍が長引き、たいへんな状況が続いています。そんななか、社員の皆さんにはしっかりとお客さまに対応していただいています。本当にありがとうございます。

これでも、もちろん十分なのですが、そのままふつうに話すと少しキレがよすぎに聞こえる恐れもあります。そこで、少しだけことばを足してみます。

えー、コロナ禍、長引いていますね。まだまだ、たいへんな状況が続いています。そんななかにあって、社員の皆さんは、しっかりとお客さまに対応してくださっている。本当にありがたいです！

いかがでしょうか？　傍線部が変わったところです。右側の前の文章と声に出して比べていただければわかると思います。前の文章のほうが余計なことばがなくて、シャープな形になっていますが、あとのほうが、少し自然な話しことばに近づいていませんか？

このような文章は、いきなり書くことは難しいです。書きことばとしては無駄が多く、あまりに崩れている感じがして、文章に書くには勇気が必要だからです。

①短い文にした無駄のない原稿を最初に作る。

②それを何度も口に出して練習するうち、感情を乗せながら話すことができるようになる。

③次第に目の前にいる人に話しかけるように話せるようになってくる。

④そのような状態を経てはじめて、こうした自分なりのふだんのことばが加わって、自然な表現になる。

こう聞くと、疑問に思われた方もいるのではないでしょうか？　自分の話し癖や無駄なことばが入っていいのなら、最初から原稿なんか書かなくていいのではないか。

たしかに無駄なことばが入るのは、ふだんの会話ではふつうのことです。しかし、そうしたことばや言い回しの多くは、自分が無意識のうちに言ってしまっているもので、そのまま人前の改まった席で同じように話すと、無駄な部分がどうしても耳について、聞きづらい話し方になってしまいます。そこで、

いったん無駄を全部省いた文章を作ったあと、自分なりのことば癖などを少しずつ混ぜていく。

こうすると、話す文章の構造や論理展開などは無駄のない形のままなので理解しやすく、それでいてことばは自然に聞こえる、という「ちょうどよい話しことば」になるのです。

私がアナウンサーをやっていたころ、多くの同僚のアナウンサーは、きっちりした文章をそのましっかり話す人がほとんどでした。それはそれで素晴らしいことなの

ですが、それだとおもしろみがない。ときには少し堅苦しい感じがする気がしたのです。ある意味、それこそNHKらしいとも言えるのですが。

へそ曲がりの私は、こうした話し方をしたくありませんでした。かといってあまり自由に話すと、ただだらけた話し方になってしまいます。何よりNHKらしいきちんとした内容を求める多くの視聴者の方の期待を裏切ることになります。

そこで編み出したのが（大げさですが）、この、無駄のない文章をいったん作ってから、ふだんのことば使いに少し戻す方法だったのです。

ここまでやる必要があるかは、話す方の好みによるところはあります。しかし、少なくとも聞き手のことを考えれば、聞きやすい短めの文章で話すようにする。そのための準備は怠らない。これくらいのことは、話す側の当然の務めだと強く思っています。

話す練習

3 仲間に見てもらってフィードバックをもらおう

前のページまでの練習ができたら、いよいよ職場の同僚などを集めてのリハーサルです。個人練習をそこそこにして、いきなり人前でリハーサルをしても意味がありません。なぜならフィードバックが「ことばが詰まっていた」「熱意が伝わってこなかった」など、伝える上での基本的な内容の指摘で終わってしまうからです。

聞いている人たちは話の内容を無理なく理解できるのか、心を動かされるメッセージになっているのかなどの、もっとも重要なことを議論するのがリハーサルの目的です。

リハーサルで大切なのは、**「具体的な」フィードバックを返してくれるよう事前にお願いしておくこと**です。

何も言わないと、たいていの場合「全体的にはよかったんじゃない」「もう少し抑揚を出したほうがいいよ」など当たり障りはないけれど、具体的にどう改善していいかわかりにくいフィードバックが返ってきがちだからです。

前提は、**「聞こうという意識が低い」相手を想定する**こと。

その上で、

①話すスピードや論理展開など、必死で聞かなくても理解できるものだったか
②長い、ややこしい、退屈など、聞き手が離れるような場面はあったか

という2つのポイントを意識すること。**それぞれ具体的にどこが**、という点を、話し方とスライドの両面で忌憚なく明確に指摘してほしいこと。これらを同僚の皆さんに伝えるのです。

こうして得たフィードバックを生かす形で最後の修正と練習を行い、いよいよ本番の日を迎えます。

本番当日

1 本番直前にもやることはいっぱい

いよいよプレゼンテーション本番の日。当日の動きや気持ちの持ち方など、私なりのお勧めの方法を時間経過とともにご紹介します。

まず大切なのは、**プレゼン会場にはとにかく早めに到着しておく**ことです。実際にプレゼンする演台などに行くことができるなら、オーディエンスがいることを想定して実際にそこで声を出してみます。

これは私がＮＨＫのど自慢などで実際に行っていたことです。同じ番組でも会場が変わると自分の声の聞こえ方も変わり、無用な緊張へとつながる恐れがあるからです。

マイクが使えるのなら試しておいてください。最近はマイクも有線、ワイヤレス、ピンマイク、ヘッドセットなどいろいろなタイプがあります。可能なら、スライドがどんなふうに映るかも確認できると最高です。

本番で感じる違和感を少しでも減らす。話す内容以外の不安要素をできる限り減らす。そのためには、とにかく**早めに「場に慣れる」**ようにするのです。

本番まであと少し。あなたの話を聞く人が会場に入ってきます。そこで心がけるのは、**「人に慣れる」**こと。もし可能なら、聞き手になる方に近づいてなるべく多く話をするようにしましょう。内容は、プレゼンの中身に関わること以外でかまいません。他愛もない話や今日の天候のことでもだいじょうぶです。

こうしておくと、いざプレゼンが始まったときに緊張しても、直前に話していた人に視線を送れば、さっき話した安心感から少し落ち着けます。

できれば、あなたが提案しようと思っていることに関する、皆さんの声のようなものを聞き出せればベスト。プレゼンの最中に「さっき○○さんがおっしゃっていたことなのですが」などと紹介できるので、ライブ感のある話題として話せます。

本番当日

2

いざ本番！　とにかくゆったり！　ゆったり！

さあ、プレゼンが始まりました。最初の挨拶・自己紹介などはつい焦って早口になりがち。まずは**自分でも「ためすぎかな」と思うくらい、しっかり間をとって話し始める**ことです。それでなくてもプレゼンでは後半に行くほど、慣れもあってスピードが上がっていくものです。いきなりつっかえたり言い間違えたりするとそれだけで焦りが増します。**立ち上がりはゆったりと、**を心がけてください。

始まって3分くらいは誰でも緊張します。その主な原因は、聞いている人の反応のなさや視線の冷たさです。でも、気にしないでだいじょうぶ。自分が聞き手になったときのことを想像してみてください。最初は、話し手がどんな人なのか観察しますよね。それが反応のなさとして彼らの表情に表れているだけです。

それでも、相手の反応が少なくて焦る場合はどうするか。めげずに、とにかく一人ひとりに語りかけるようにしましょう。

最初は**うなずいてくれている人**を見て話します。

次に、**少し離れたところにいる、反応は薄いけどこちらをしっかり見ている人に。**

その次は、**難しい顔をしている人に。**

会場の全員の目を一度はしっかり見るつもりで話しかけてみてください。地道に語りかけていると、必ず聞き手の反応は変わってきます。

よく、会場への視線の向け方は、８の字を描くように会場全体に視線を送っていくようにするという方法を勧めている本を見ます。悪くはないと思いますが、ずーっと目が泳いでいるように見える恐れもありますので、私のお勧めはこの**「一人ひとりをしっかり見る」というのを、連続して行っていく**方法です。こうすれば、目が泳がず、しかも聞き手を引っ張り込むパワーも強くなるはずです。

本番当日 3

想定外が起こることは想定内。臨機応変な対応を

リハーサルを重ねていれば、持ち時間を大幅に超えることはないと思います。しかし、本番は何が起きるかわかりません。

特に自分以外にもプレゼンが続くイベントなどの場合、先に登壇した人が大幅に時間オーバーしてしまうこともよくあります。

そんな状況でも、主催者に要請されない限りは、基本的に自分の持ち時間は予定通り使ってよいと思います。

しかし、問題は聞き手の気持ちです。聞き手のなかには、イベントのあとに予定を入れている人もいるはずです。そんな人にとって、時間の延長は迷惑です。伝えるべ

き内容を伝えることがプレゼンの目的ではありますが、それと同じくらい、あるいはそれ以上に大切なのは、**あなた自身の印象をよいものとして記憶してもらうこと**です。

そのためには、**できる限りイベント本来のタイムテーブルにそった時間に、自分のプレゼンをぴったり終わらせる**とよいでしょう。こうすることで、聴衆にもイベントの主催者にも好印象を持ってもらうことができます。

好印象は、またあなたの話を聞く機会があったら聞いてみたい、というものにつながるかもしれません。

臨機応変な対応がとれるようにしておくのも準備段階で大切なことです。

本番当日

4 質疑応答こそアピールのチャンス！

プレゼンテーションの最後にある、いわゆる質疑応答の時間。この時間が大好き、という方はそれほど多くないと思います。「うまく答えられなかったらどうしよう」「質問されただけで焦る」「答えているうちに自分で何を話しているのかわからなくなってしまう」。お悩みはいっぱいあります。

しかし、質疑応答にしっかりと対応することができれば、逆に聞き手への大きなアピールができるチャンスになります。そんな質疑応答を落ち着いてできる私なりの方法があるので、ご紹介します。

質問されたときの手順はおよそ以下の通りです。

①質問内容をメモする
②すぐに答え始めず、答えを構成する
③時間を稼ぐ
④答えははっきり。フォローも忘れず

では、一つひとつ、ご説明しましょう。

①質問内容をメモする

これは、質問が明快なものだった場合は必要ありません。しかし、質問者によっては、自分の意見や仮定の話などを質問とごちゃ混ぜにしながら話す人も少なからずいます。そんなときでも、彼らの質問を整理し、ときには質問者に確認するためにも、メモが必要です。また、こうすることで、自分が何に答えるべきか答えるうちにわからなくなることも避けることができます。

②すぐに答え始めず、答えを構成する

どんな話をどの順番で答えるか、答え始める前に全体の設計図を決めておくようにします。とにかく早く答えなきゃ、と焦る気持ちはわかります。しかし、焦って回答してみたら、相手の聞いていないことまで答えてしまい、それが別のリスクにつながることもあります。できる限り、答える内容の構成をキーワードだけでもメモとして書くようにします。

基本の形は、①結論、②その根拠、③具体例。

こうした要素をこの順番で用意できれば、たいていの質問には答えられます。問題はその構成が作れるかどうか、です。そんなときに必要なのが次の項目です。

③時間を稼ぐ

これは②のように答えるための準備をするために行うものです。時間稼ぎという と、ネガティブにとらえられるかもしれませんが、そのように見えないスマートな方法があります。

1つは質問者をほめることばを言うこと。典型的なのは「いい質問ですね」です。アメリカでは常套句のように用いられているようですが、日本では、あの池上彰さんで有名になりました。これ、本当にいい質問のときはもちろん、自分にとって答えにくい質問や都合の悪い質問のときでも使えます。考える時間を稼ぐだけでなく、相手の質問を認めることで、相手との緊張感を少し和らげる効果もあります。

ただし、その逆の場合もあります。最近の会見でよく聞かれることばに「ご質問ありがとうございます」というものがあります。もちろん悪くはないのですが、どんな質問に対してもこのことばで始めている人があまりに多い気がします。ともすると、「とりあえずこれを言っておけば間違いないよね」という安易な気持ちが透けて見えるときがあるように思います。

時間稼ぎのことばの効果があるかどうかは、言い方次第です。ちゃんと気持ちがこもっていなかったり、いつも同じフレーズを使っていたりすると、判で押したような事務的なことばに聞こえてしまいます。同じ言い方が続かないように、言い方や声のトーンを少しずつ変えるなどして工夫するようにしましょう。

また、質問者のなかには、あなたを追い詰めたいと思っている人もいます。そうした彼らの欲求を、ほめたり、困ってあげたりして満たしてやることで、彼らの戦意を和らげるというテクニックもあります。

「いや〜厳しい質問ですね。うーん。ただ、私があなたの立場ならやはり同じように思ったと思います」などと相手に一本とられたように振る舞うのです。

そうすることで質問者に、「なんだ、こっちの言い分を認めているのね」と思わせることで相手の戦意を弱めます。もちろん、そのあとに主張すべきことがあれば、「ただし、私としては……」とふつうに反論してだいじょうぶです。

要は真っ向からぶつかり合うのではなく、適度に弱みを見せながらも柔軟に質問を打ち返すように心がけることです。「その指摘はあたらない」などと、根拠も示さず木で鼻をくくったように答えるのは質問者を苛立たせるだけです。ごく一部の特別な立場の人以外は、このような答え方は避けるべきでしょう。

さて、こんな答えをしながら手元では、**答える際のキーワードを書き、キーワードに番号を振って、②の構成を作る**ようにします。

質問のメモを書く人はいますが、**私はこの答えのざっくりしたサマリーが書けるかどうかが、質疑応答のカギ**だと考えています。

④答えははっきり。フォローも忘れず

結論ははっきりわかりやすく、早めに伝えましょう。これが遅いと、質問者はイライラします。

曖昧な結論のときほど答えは最後に回したくなる気持ちもわかります。しかし、隠したい、言いたくないという思いははっきりと聞き手に伝わります。それが伝わると、質問者はさらに追っかけてきて傷が深くなります。そうならないためにも勇気を持って結論を早めに伝えるようにしましょう。

また、厳しい質問ほど、答えるときの表情や声のトーンも厳しくなりがちです。最後に、「有意義な質問をしてくださり、ありがとうございました」などと穏やかな声で感謝のことばなど述べてフォローしておきます。

こうすることで、質問者のさらにむち打とうという気持ちはある程度抑えられると思います。

インパクト大、差がつくプレゼンテーションでの話し方のまとめ

①まずはスケジューリング。本番当日から逆算して工程表を作る。
　前日は話す練習用に1日あけておく。

②スライド作りは、話したいことを決めてから。

③聞き手の記憶に残しておきたいものだけをスライドに出す。

④身の丈に合った、あなたらしい演出を。
　スティーブ・ジョブズを目指さなくていい。
　歩きながら話さなくていい。

⑤前日、まずはひとりで練習。
録画してチェックする。
時間配分をブロックごとにチェックする。
自然に話せるようになるまで、最低5回は話す練習をする。

⑥誰かに聞いてもらって、具体的なフィードバックをもらう。

⑦本番当日は、会場に早めに到着し、「場」や「人」に慣れる。

⑧始まりは、とにかく、ゆったり、ゆったり。会場の一人ひとりをしっかり見る。

⑨想定外が起こることは想定内。臨機応変な対応を。

⑩質疑応答の時間こそ、アピールチャンス！

第4章

毎日がミニプレゼンテーション！さまざまな場での話し方

「話して伝える」基本は、1章と2章でご紹介した通りです。3章では、その応用実践編として、本格的なプレゼンにも十分対応できる技術をお伝えしました。私が大企業のトップの方々のスピーチをご指導するなかで得てきたものです。

そんな機会のない方々にも、実は、日々、さまざまな小さなプレゼンの機会があります。基本はすべて同じですが、細かい点では、場面によって気をつけるべきポイントが違ってきます。この章ではそうした場面ごとのテクニックをご紹介していきます。

さまざまな場面 1

自己紹介では、以後の会話のエサをまく

誰もがもっとも頻繁に行うプレゼンといえば、「自己紹介」でしょう。自己紹介はいつもだいたい同じという方もいると思います。会社員の方でしたら、名前と所属部署や役職、担当している仕事くらい。最後は「よろしくお願いします」で締める。こんな感じでしょうか？　最低限の情報で十分という考えもわかりますが、せっかく話すのですから、もう少し工夫してみませんか？

自己紹介で大切なのは、

「聞き手が誰であるのか」「何のために行うか」

をしっかり見極めることです。

あれ？　同じようなことを2章で言ってなかった？

そう、基本は同じなんです。

自分が転勤した先の新しい職場の人に向けてなら、自分のこれまでの職歴はもちろん、旅行で一度来たことがあるなど、新しい任地との関わりがあれば、そのことを話したほうが受け入れる側も嬉しくなるかもしれません。ＰＴＡ役員に選ばれたときの挨拶でしたら、自分の職業よりも、休みの過ごし方や子どもの教育にかける思いなどのほうが興味を引きます。営業のときは、あなたの詳しいプロフィールより商談の中身のほうが大切です。名前をきちんと伝えれば十分。まずは用件。相手があなたに興味を示してきた場合、少しずつこちらの情報を開示していく感じでよいでしょう。

いずれにせよ、目の前で自己紹介を**聞いている人の立場に立って**みて、どんな話に興味を持ってもらえるのか考えてから話してください。

次に大切なのは、話す時間。長くてもせいぜい1分ほどに。

たとえば、転勤してきたときの挨拶のように、そこにいる人にとってなじみがない場合は、多少、長くしゃべってもいいでしょう。それでも3分も話すと、聞いているほうは長いと感じます。

スピーチは長いと思われたら、どんなに内容がよくても、話し方が上手でも、印象が悪くなります。もう少し聞きたかったと思われるくらいでちょうどいい。受け入れる側の場合は、人数によりますが、さらに短めの自己紹介が求められるでしょう。

では、短い時間で何を話すべきか？

ポイントは、「すべてを語ろうとしない」ことです。名前などの基本情報以外でも、生育地、学歴、趣味など、言おうと思えばいくらでも言えるでしょう。でも少し考えてほしいのです。**「それは今言う必要があることなのか？」**

自己紹介の目的は、自分についての情報を細かく相手に覚えてもらうことではありません。新しく出会う人に、このあと自分に対して**「話しかけるきっかけを与える」**こと。これさえできれば十分です。

たとえば、「趣味は食べ歩きです」だけよりも「仕事ももちろんですが、職場近くのランチ情報をまず教えてください」。受け入れる側なら「ランチ情報なら私に聞いてください」のほうが、ずっと話しかけやすいですよね。

出会ってからお互いを理解し合うにはある程度の時間が必要です。細かい情報は、今後いくらでも話す機会があるでしょう。

だからこそ、ファーストコンタクトである自己紹介では、

自分に関する話しかけやすい情報を会話のエサとしてまければ十分。

あなたの会話のエサは何ですか？

さまざまな場面

2 急なご指名のスピーチは、スパッと短いだけで好印象

プロジェクトの打ち上げ、職場での歓迎会・送別会など、何かの集まりで急に短めの挨拶を求められることがよくあると思います。そんなとき、何を言っていいのかわからず、とりあえず話し始めたはいいものの、何が言いたいのかわからないスピーチになってしまう……。よくあります。急な指名だし、何も目くじらを立てることではありません。しかし、せっかく自分が話すのだったら、それなりにまとまった話にしたいですよね。どうすればいいのか？

ここでも、**最初に考えるべきは時間です。**

その会合で立場が**エラい方以外は長いのは厳禁。**

できれば1〜2分でビシッと締めたいものです。

短いだけで、好印象を与えられます。

ではそんな短い時間で話せる「中身」はどう決めるか？

スピーチの目的に一度立ち返ってみるのです。

たとえば、送別会でしたら、送られる人に「これまでの感謝を伝える」、あるいは「今後の活躍を祈る」ということになるでしょう。まずはここを、どこかの部分でしっかり言うようにします。「ありがとうございました。これからも（体に気をつけて）頑張ってください」と言えば、とりあえず格好がつきます。

次に考えるのは、この結びのことばに行く前の「送られる方のエピソード」です。ポイントは、「その人らしいなぁ」と思えるような**具体的な話をすること**。「○○さんは、すごく頼りがいもあって、仕事もよくでき、家庭的で」など誰でも言えることをたくさん並べるのも悪くないのですが、聞いた人の心に残る挨拶にはなりません。その人が持っている長所のなかで、いちばん心に残るものを1つ絞り込むのです。

たとえば、「頼りがいがある」という点に絞ったとします。「2年前、この部署に入ったばかりで戸惑っていたときに、〇〇さんがそっと助けてくれたっけ。最初は取っつきにくかったなぁ。でも得意先とのトラブルがあったとき……」というふうに、思い出が出てきたらしめたもの。いちばんいいところを具体的に描写するのです。

うまく聞かせるコツは、最初にテーマを言うこと。

「〇〇さんにはお世話になりました。本当に頼りがいのある人です。こんなことがありました」と、聞いている人に、「これからこんな話が始まるんだな」と心の準備をさせると期待も高まります。これも第2章でご紹介した「基本」ですね。

最後のポイントは、「終わり方はさっぱりと」です。

たとえば、「私が得意先に叱責されていると、○○さんが『指示をしたのは私です。たいへん申し訳ありません』と大きな声で謝罪してくれた。取引先はその気迫に押されてそれ以上何も言わなかった」など、かっこいい場面を話したら、それ以上長々と話してはいけません。

「○○さん、あのときは本当に嬉しかったです。ありがとうございました」などと「さっと終わる」のです。

すると、話の余韻が生まれ、聞いている人の心に届きます。

「はなはだ簡単ではありますが、私の送別の辞と」など紋切り型をやめるだけでも、独自性は出せます。

急なご指名のスピーチでも重要なのは、「構成」です。頭のなかでうまく構成できない場合、自分の出番を察知したら、話の方向性と材料だけでもメモしておくといいでしょう。スマホでメールをチェックしているようなふりでもしながら。スマホへのメモは、コピペで順番もすぐ入れ替えられるのが強みです。

3 朝会などでのショートスピーチは、日々の話題集めが命

職場で朝一番に、短い会議が行われるところもあると思います。「朝会」などと呼ばれ、テレワークになっても、これだけは欠かさない、という職場もあるでしょう。そこで、その日の自分の業務以外に短いスピーチを行わなくてはいけないこともあると思います。こちらも基本は、**「時間」と「目的」**です。

まず時間。やはり、短くすることが最優先です。長い話を朝から聞きたいという人はまずいません。長くても3分以内を目安にしてください。

次に目的。特に、管理職ともなると、それなりにためになる講話のような内容を求められることもあると思います。それが毎日になると、何を話してよいのか悩むという方も多いでしょう。実は私もＮＨＫの地方局勤務だったころ、毎日夕方のニュース番組の冒頭で、２０秒ほどですが自分なりにコメントを考えて挨拶をする時間がありました。これが難しかったものです。

そんなとき私のお勧めは、ごく最近、**自分で見聞きしたことのなかから、皆と共有したいと思う話題を見つけ出す**ことです。

新聞の一面に書かれた記事、テレビニュースのトップ項目などは、実は、題材にはあまり向いていません。独自性が出しにくいからです。皆が知っている話題から話を展開して、聞き手が「へー！　それおもしろい！」と思ってもらうものに話を作れるような方ならいいでしょうが、大多数の方にとっては結構難しいものです。

スピーチに向くのは、地域の話題やちょっとしたトピックスなど、知っている人が少ないもの。私の場合は読者の「投書欄」などをヒントにしていました。もちろん、一瞬見たテレビの場面からヒントを得た話でもいいでしょう。話の締めはもちろん、職場の仲間が今日の仕事を頑張ろうと思えるような内容です。ここに一工夫加えます。
たとえば、つい最近、駅伝のテレビ中継を見たとします。

> 「昨日、駅伝中継を見ました。見た人いる？ どのチームも必死でたすきリレーしてたねー。ボクらもそんなチームでありたいよね。今日も一日頑張ろう」

悪くはありませんが、今ひとつありきたりというか、心が動きませんね。そんなときにカギとなるのが**「描写力」**です。たとえばこんなふうに。

> 「昨日の駅伝見た？ 感動したよー。順位が下のほうのチームだったんだけどね。あるランナーが力を発揮できず、ふらふらになって次の選手にたすきを渡していたんだよ。そしたら、かすかに彼らの声が放送で聞こえたの。『すまん、頼む』『だいじょうぶ。取り返す！』。これだけ。そのあと映った、

たすきを受け取った選手の表情！　少し笑みを浮かべながらきりっとしていてさ。かっこよかったよ～。僕らのプロジェクトもこんなチームでいたいね。誰かが力を発揮できなくても皆でカバーする。今日も一日頑張ろう」

話の中身はそれほど珍しいものではありません。しかし、話している人が「見たもののどこに感動したのか」をしっかりと描写・言及しています。

こうした「話のネタ」はぼーっとしていては見つかりません。私が行っていたのは、日ごろから、とにかくいろいろなものに関心を持つことでした。町を歩くとき、新聞を読むとき、テレビを見るとき、何か目につくおもしろいことはないか、常に意識し、何か見つかったらメモをとっていました。

いつもおもしろいエピソードを話して私たちを楽しませてくれるお笑い芸人の方は皆、こうした努力を欠かさないそうです。最初はたいへんかもしれませんが、習慣にしてしまえば、結構楽にできます。**話し方より話の中身！**　お試しください。

さまざまな場面 **4**

結婚披露宴など改まった場でのスピーチの秘訣

ここも基本は同じです。

「時間」「スピーチの目的」「適した内容の選択」です。

まずは、「パーティーの進行表」をできれば入手してください。どのタイミングで話すのかを知っておくのです。話す長さを判断する基準になります。

スピーチを頼まれる場合、「だいたい5分くらいでお願いしたいけど、時間は気にしないで」などと言われるでしょう。しかしそれを真に受けてはいけません。披露宴にも理想的な進行時間というものがあります。それに沿うような形でスピーチをおさめるというのが、新郎新婦にとって何よりの思いやりになります。いくらお祝いの気持ちを伝えたいからと言って、長々と話すのはもちろん御法度。さらに、**「いざとなればスピーチを短くできる準備をしておく」**というのが望ましい形です。

結婚披露宴のスピーチの「目的」は、「新郎新婦を祝う」。内容は「新郎新婦の人柄を示すエピソードの紹介」が一般的です。なかには、おなじみ「3つのふくろ」の話のような定番ネタを話す方もいますが、聞いていておもしろいということはあまりありません。要は、**2人に直接関わりのない「一般論」は、聞いているほうは退屈する**ことがふつうなのです。

ここで絶対にやってはいけないのは、新郎新婦の人柄のよいところをただただ、いくつも並べることです。

「1つ」に絞ってください。
絞るときのカギは、具体的なエピソードがあるものを優先させることです。

どのような状況で、何が起こり、新郎新婦はどんな発言や行動をし、そこからあなたは何を感じたのか？　これらを詳細に語れるものを優先するのです。

ここでも、**カギは「描写力」です**。

新郎や新婦の素晴らしい人柄を伝えたいという気持ちが強ければ強いほど、あれも言いたい、これも言いたいと思うのもよくわかります。しかし、あなたのそうした思いと、聞いている人がわかりやすいことのどちらを優先すべきか？

おわかりですね。新郎新婦の招いたお客さんが気持ちよく話が聞けるために、少しだけ自分の思いを抑えるようにしてください。

最後に改まった場でのスピーチのときの、私なりのコツをお伝えしますね。

それは「メモを持って話す」ことです。

えー、かっこ悪い！　そう思ったかもしれません。わかります。でも、改まった場でのスピーチで優先すべきは何でしょうか。あなたがメモも持たず、滔々（とうとう）と語る姿を見てもらうことでしょうか。

違いますね。聞いている人に伝えたいメッセージをしっかりと伝えることです。できれば、**無駄なことばや意味のない話を入れたくない。確実に、後悔のないように伝えたい**。そう思われると思います。

そんなときこそ、メモ（原稿）の出番です。一見かっこ悪いと思われないか心配かもしれません。しかし、ここがポイント。最初にたとえばこう言うのです。

「私、今日はメモを見ながら話させていただきます。緊張して、何を言ったらいいのか忘れたら申し訳ないですから。どうかお許しください」

こう言われて、話す人を馬鹿にする人はいないでしょう。それよりも「全然問題ないよ。よし、応援してあげよう！」と思ってもらえる可能性もあります。つまり、場の雰囲気を和らげ話しやすい環境を整える効果もあるのです。

さらに当然ですが、メモを持って話すことで「忘れたらどうしよう」という心配からも解放されます。

あとは、書いてきた原稿を棒読みにしないよう心がけるだけ。

①準備の段階で原稿は短い文章で書く。
②何度も口に出しながら、話しにくいところを少しずつ変えていく。
③本番では、文章の終わりが近づいてきたら原稿から目を離し、新郎新婦や参列者を見ながら話す。そして、また、原稿に目をやり、次の文章を読む。

これだけやれば、メモを持って話していても絶対に棒読みには聞こえません。しっかりした内容を丁寧に相手に語りかける、素晴らしいスピーチになります。

最後に。締めはあっさり、の原則は、ここでも生きています。

「本日はつまらない話を長々としてまいりまして、お聞き苦しい点もあったかと思いますが、本日のよき日に免じてお許したまわりますようお願いいたします。最後になりましたが、ご両家、ご親族、本日ご出席の皆さまのご健康とご発展を心よりお祈り申し上げまして、はなはだ簡単ではありますが私のご挨拶とさせていただきます。本日は誠におめでとうございました」

こういうのは全部カット。最後は「ありがとうございました!」で十分です。

さまざまな場面 **5**

セミナーやトークイベントへの登壇を依頼されたら

以前に比べると、ふつうのビジネスパーソンでも、仕事がらみで、あるいは趣味の活動で、トークセッション、パネルディスカッションなどのイベントに登壇する機会が増えてきたようです。特に、オンラインイベントは増える一方。

あなたにも登壇するチャンス（ピンチ？）が突然やってくるかもしれません。

そこで、こうしたイベントに登壇する際の基本的なポイントをご紹介していきます。ここでも大切なのは、**「聞き手優先主義」**です。

①司会役（コーディネーター、モデレーター、ファシリテーター、MCなどと呼ばれることもあります）になった場合、②一登壇者として基調講演をしたり議論したりする役になった場合、に分けてお話しします。

①司会役になった場合

ディスカッションがおもしろくなるかならないかは、ひとえに司会者の腕にかかっています。キーワードは、**「準備」「勇気」「感謝」**です。

ディスカッションでありがちなパターンはこんな感じではないでしょうか？

最初にパネリストが与えられたテーマについての見解を自身の立場から5分ほど話す。次に、今回のテーマに関連した質問をパネリストに対して司会役が投げかけ、それをパネリスト全員が「一方通行で」順に回答していく。そして、残り10分ほどで観客から質問を受け付ける、というものです。

この形式ですと、間違いなく退屈になります。パネリスト同士の白熱した議論が「用意」されていないからです。もちろんたまたま議論が盛り上がることもあるでしょう。しかし、多くは一方通行の話を複数聞くだけで、「いろんな話を聞いたね」とあっさり、ぼんやり終わってしまうのではないでしょうか。

これでは、わざわざイベントを見に来てくれる方に申し訳ないと思いませんか？聞きに来てくださった方々のためにも、盛り上がるかどうかを偶然に任せてはいけません。

では、どうするか？

司会役が事前に、各パネリストの主張を把握し、**「彼らの見解がぶつかりそうな点」を見つけておく**。それに従って質問を組み立てておくのです。

もちろん、その場で話を聞きながら議論のポイントを的確に把握できる人には、こんな準備は不要でしょう。けれども、私も含め多くの人はそうではないはずです。

議論を盛り上げたければ、白熱する論点を「事前に準備する」こと！

こうした論点については、本番当日よりも前に、登壇者と打ち合わせできるのがベストです。しかし、そうはいかないことも多いでしょう。そんなときは当日でもかまいませんから、最低、**「どんな論点を」「どんな順番で」「各自どれくらいの時間で」**

話してもらうか、事前に伝えておきます。それだけでも、登壇者は何をどれくらい話すべきかの心構えができ、議論が散漫にならずにすみます。

さて、準備を終えていよいよ本番です。

司会にとって大切なことは、**「観客目線に徹して」議論を回す**ことです。**「長い」「つまらない」「理解できない」と観客に思われてはいけません。**

ただ、これが難しい。登壇者がつまらない、あるいは大半の人には理解できない話を長々としても、なかなか割って入ることができないものです。そうならないために必要なのが「勇気」です。**ときには憎まれ役を買って出る「勇気」**です。

具体的には、事前打ち合わせと議論本番で**「約束事を宣言しておく」**ことです。

いちばん重要なのは、長々とした発言を避けるため、「発言時間は2分まで」など**時間についての約束。**

次に、観衆にとって内容が難しすぎる場合や、話の趣旨が不明な場合は、割り込んで簡潔な説明を促すことがあるという**「進行上の強権発動」についての約束。**

Q＆Aを行う場合は、**観客にも約束事を伝えます。**たとえば、「本日は貴重なお話をありがとうございます」などのお礼や、自説や感想を長々と述べず、速やかに端的な質問をする、というようなことです。

こうしたお断りコメントは、言うのに勇気がいります。しかし、気が引けるからといって、早口でこちょこちょしゃべったのでは意味がありません。第1章の**「ゆっくり」「はっきり」「語りかける」**で乗り切ってください。特に、**言いにくいことこそ、「心から語りかけ」**てください。

「こんなことしたら、本当に憎まれ役になる！」と心配になるかもしれません。でもだいじょうぶ。そんなときこそ、**「感謝のことばを忘れない」**ようにするのです。

「端的にまとめてくださり、ありがとうございます」
「お陰で多くの発言・ご意見をうかがえました」

議論があまりに白熱したときは、**「包み隠さない、本音のご意見、お越しの皆さんにもしっかり伝わったと思います。皆さんいかがですか？」**など、観客の拍手によってねぎらえば、発言した方も悪い気はしないはずです。

とにかく観客を第一に考え、登壇者全員にできる限りの配慮をしながら、逃げずに一生懸命進行することです。そして、心からの感謝のことばを添えるようにすればだいじょうぶです。

②―登壇者として参加する場合

ひとりの聞き手の立場になって想像してみてください。いやな登壇者のイメージはどんな人ですか？

「話が長すぎる」「話がわかりにくい」「聞き取りにくい」「おもしろくない、退屈」こんなところですよね。そうならないように、「事前に準備」すればいいのです。

「話が長すぎる」からいきましょう。ひとりで行うプレゼンと違い、トークイベントで各人が話せる時間は思っている以上に短いのがふつうです。そこで、主催者に、およその台本やアジェンダと、自分の発言時間について、事前に確認しておくようにします。

主催者がいい加減だと時間の読みもいい加減なので、**自分で台本を見て自分の発言時間を計算しておきます。**議論の全体の時間と、議題、出演者の数がわかれば、自分の発言時間はおおよそ見えるはずです。

たとえば、議論の時間が40分。議題は3つ。登壇者3人。この想定でいくと、最初の挨拶などのイントロ部分で最低3分。終わりの挨拶やまとめなどは少し長くかかるので5、6分。ということは、議論で実質使える時間は約30分。議題は3つなので1つの議題あたり10分。これを登壇者3人で割ると、1つの議題で1人が話せるのは3分20秒。司会者の質問や周りの登壇者との掛け合いも考えれば、2分あまりで発言を終えなくてはいけないことになります。

こんな感じで、自分の発言時間をある程度想定し、発言内容を準備します。この時間内で、「わかりにくい」「おもしろくない」と観客に思われないように話すわけですから、たいへん。

そこで、事前に準備をしておくのです。

余計な情報をそぎ落とし、大切なことをざっくりと最初に言う。

次に、細かいことを少しずつ付け加える。

第2章でお話しした「構成」のしかたを参考にして、時間内におさまる話を用意していれば、焦って早口になることもないでしょう。

事前準備以外に注意することをあと一点挙げておきます。

それは、**「ほかの登壇者の話をしっかり聞いておく」**ということです。

当日、ほかの人の話のなかで、自分が言おうとしていたことと同じものがあるかもしれません。そんなときには勇気を持って自分の話をカットしましょう。聞き手は同じ話を聞きたくありませんからね。

また、自分の話のなかにほかの人の話と関連づけられるものがあれば、積極的にそうしたつながりを話しましょう。

各自バラバラに話すよりも、登壇者の議論が有機的につながっているほうが、聞いている側も理解しやすくなります。

ほかの人の話を聞いているときの「態度」も重要です。無表情であさっての方向を見るのではなく、**話している人の顔をしっかり見てリアクションする**ようにしましょう。話している人の何よりのフォローになるだけでなく、観客に「あの登壇者はちゃんと話を聞いているな」と信頼される要素になります。

オンラインのときは特に、積極的にうなずいたりほほえんだりするとよいでしょう。

さまざまな場での話し方のまとめ

①自己紹介は、以後の会話の糸口となるエサをまいておく場と心得、簡潔に。

②急なご指名のスピーチは、とにかく短いだけで好印象。
さっと終わる終わり方も大事。

③会社の朝会などでのショートスピーチは、トピックス選びと描写力が大切。
日々、話題集めを。

④結婚披露宴など改まった場でのスピーチは、話題を1つに絞り、具体的なエピソードを加える。
メモを持って、しっかりとした内容を丁寧に相手に届ける。

⑤セミナーやトークイベント

①司会者になったら、議論が白熱するための話題を見つけておく「準備」、観客目線で議論を回す「勇気」、登壇者に対する「感謝」が大事。

②登壇者になったら、ほかの人の話をしっかり聞き、自分の意見は簡潔明瞭に。

第5章

オンライン！プロが教えるカメラ相手の話し方

2020年から突如始まった新型コロナ禍で、オンラインによる「画面を通してのコミュニケーション」が当たり前になりました。社内のミーティングはもちろん、会ったこともない相手からZoomだ、Teamsだとアクセスリンクが送られてきます。

なかには、積極的に、YouTubeやTikTokで発信する人も出てきています。

この章では、NHKでの経験も生かし、カメラに向かって話すときのポイントをお話ししましょう。

見え方はこう工夫する！　カメラと照明のポイント

画面越しの「オンラインコミュニケーション」は、リアルな対面のコミュニケーションと、どこが違うのか？　具体的に、何に気を遣ったらいいのか？　アプローチのしかたは大きく分けて2つあります。

1つは**見え方、聞こえ方を左右する環境の整え方**について。

もう1つは、**オンラインだからこそ注意すべき話し方・伝え方**の方法です。


いきなり私事で恐縮ですが、人生ではじめて「垢抜けたね〜」と言われた時期がありました。それは1999年の夏、4年間勤務したNHK福井放送局から東京のアナウンス室に転勤してはじめて夜中のテレビニュースを読み終わったときのことです。

そのニュースを見た、福井でお世話になった方からお電話をいただきました。「松本さん、東京に行って随分垢抜けたね〜。ニュースもうまく読めていた!」と。

転勤して日も浅く、見た目やニュースの読み方が変わるはずもありません。なぜそう言われたのか?

答えは簡単でした。

変わったのは私ではなく、「照明」だったのです!

今はどうかわかりませんが、当時、東京のニューススタジオの照明は、地方のNHKのスタジオに比べ、圧倒的に明るいものになっていました。それが被写体のアナウンサーを鮮やかに見せてくれていたのです。

しかし、きれいに映っていたというだけなら、納得でした。しかし、「ニュースもうまく読めていた」というのはどういうことか?

転勤を機にニュース読みの特訓をしたりしていませんでしたし、どちらかといえば緊張してうまく伝えられなかった気がしていたからです。

考えられるとすれば、「照明のおかげ」でうまく話せているように「聞こえた」ということでした。のちに、同僚のアナウンサーたちの多くも、同じようなことを言われた経験があるということがわかりました。

「見え方」は、「話し方」の印象まで変えてしまうのです。

ですから、オンラインでは話し方もさることながら、映り方にも気を配ることが必須です。そこで、一般の方にもぜひ知っておいていただきたい、オンラインで見え方を決定する重要ポイントを3つ挙げておきます。それは、次の3つです。

①カメラの高さ
②カメラとの距離
③照明

ポイント①　カメラの高さ

まずは、カメラをどこに置くかです。

パソコンのカメラを使っている場合は、そのカメラのレンズの場所を確認してください。そのレンズの位置が、実際に話しているときに、**なるべく目の高さに近づくように調整してください。**

ふつうのノートパソコンの場合、ふつうに机に置いて使うとレンズは目の位置よりもかなり下になります。これだと、自分では気にならないかもしれませんが、あなたを見ている相手からは、**見おろされている印象を持たれる恐れ**があります。

また、顔の下半分が大きく映るため、ちょっと下膨れ気味に映る場合もあります。

そこでお勧めは、カメラの位置を目の高さに近づける一工夫。ノートパソコンの下に本を置いたり、斜めに起こすような専用のスタンドを使ったりして高さを調整するのです。ちょっとしたことですが、印象が変わります。

ポイント② カメラとの距離

次は、カメラとの距離を調整します。その際、画面に占める顔の大きさの割合に注意します。あまり大きすぎる（カメラに近寄りすぎる）と表情はよく見えますが、圧迫感を与えてしまいます。小さすぎると表情がよく見えません。

お勧めは、**バストショットと呼ばれる、胸から上が映るような映り方**です。見本になるのは、**正午のＮＨＫニュースのアナウンサーの画面に占める割合**です（ほかの時間だと、演出の都合でアナウンサーが小さすぎることがあるからです）。

どんなカメラを使ったらよいですか？　というご質問をいただくこともあります。今は、Ｗｅｂ会議に最適化されたカメラや、何十万円もする動画も得意なデジタル一眼など多種多様なものがあります。どこまで凝りたいかによって決めればよいと思います。

ただＷｅｂ会議の場合、映像の解像度は圧縮されて伝送されることが多いので、あまり極端な高解像度を追い求める必要はないようです。

ポイント③　照明

とにかく**顔が暗く映らないようにすること！**

オンライン会議でも、話している人の背景が明るく映っていて、その人の顔が暗くぼんやり見えることがよくあります。もちろんよく知った同僚同士の打ち合わせなどではそこまで気をつけなくていいとは思いますが、大事な得意先やはじめて顔合わせするような方には、こちらの印象が暗く見えてしまうと、話す内容や説得力にも影響する恐れがあります。

まず、自分が話す部屋に外の光が入る窓があれば、できればその窓を正面に見るように座るのがよいでしょう。そうすれば外の光が顔を自然に照らしてくれます。

外の眺めがよいからといって、明るい窓をバックにして映すと、いわゆる逆光で、顔が暗く見える原因になります。

夜はもちろん、昼でも十分な明るさがない場合は照明が必要になります。

照明が1台の場合は正面に置き、できれば自分の目の高さよりもやや上に設置するのがよいでしょう。

顔の目の前に置くと、光が強すぎて顔がテカる場合もあるからです。照明を顔より下に置くと、さらに変に映る可能性があります。子どものころ、懐中電灯を顎の下に当てて「おばけだぞー」ってやったことないですか？　あんな感じになってしまいます。

また照明の色も少し工夫してもいいかもしれません。青白い光よりも少し暖かい色のほうが顔色がよく映ります。

照明が2台以上ある場合は、**顔に影がでないように斜め左と斜め右に1台ずつ**置きます。

ただし細かいセッティングについては、部屋の大きさや照明器具の種類によって変わりますので、少しずつ調整していってください。

具体的な方法は、ＹｏｕＴｕｂｅｒの皆さんがさまざまな機材などを使っていろいろな方法を紹介してくださっています。興味がおありでしたら参考にされるとよいでしょう。

マイクが重要。聞こえ方はこう工夫する

オンライン会議で相手の話が聞き取りにくいと思ったことはありませんか？
これにはいくつかの原因が隠れています。

まず相手の声は、**マイク**で集音されます。この段階でマイクに拾ってもらいにくい状況、たとえばマイクから離れているだけで聞き取りにくくなってしまいます。

次に**伝送過程**。録音された音声は、ネットの負荷がかからないように圧縮されて送られるため、音質は下がります。リアルでは聞き取れていた微妙な音量の差などの細かい音声のニュアンスが失われる場合が考えられます。

最後に、**再生環境**。送られてきた音声データはスピーカーやイヤホンなどで再生されます。このとき、たとえばPC付属の安価なスピーカーやノイズの多い環境で相手が聞いてしまったとしたら、いくらこちらが工夫しても、聞き手の側の事情で聞き取りにくい状態になってしまうのです。

大事な商談など、重要なビジネス現場でのコミュニケーションでは特に、「聞き取りづらくならないようにする工夫」が求められます。

ここでは、**①マイク、②ヘッドホンやイヤホン**について、お話ししておきます。

ポイント①　マイクの位置と種類に留意！

重要なのは、**話している内容をしっかり聞き取ってもらえるようにすること**です。

そのためには、マイクから離れて話すのはよくありません。

ＰＣについているマイクも最近は良質なものが増えていますが、できれば、ヘッドセットと呼ばれる、ヘッドホンにマイクが最初から付いているものが便利です。**マイクはできれば口に近いところに置くのが原則**だからです。

マイク付きのイヤホンもマイクの位置が口に近づくようにすれば、よりクリアな音を相手に届けられるはずです。

もう少し詳しい話をすると、マイクには大きく分けて、単一指向性と無指向性というものがあります。前者は一方向の音を集中的に拾ってくれるもの、後者はマイクの周り全体の音を拾う性質があります。「そりゃ、全部の音を拾ったほうがいいんじゃないの?」という気がするかもしれませんが、ＺｏｏｍやＴｅａｍｓなどでこちらから1人で話す場合は、前者の**単一指向性のマイクのほうがお勧め**です。

というのも、無指向性のように周囲の音を全部拾ってしまうと、話す声以外にキーボードを叩く音やエアコンの音など、話と関係ないノイズまで拾ってしまうため、会話のじゃまになってしまうのです。

ただし、ＰＣについているマイクも、最近はそうしたノイズを拾わないものも出てきているようです。

ポイント②　ヘッドホンやイヤホンを使って聴く

次に相手の声を聴く方法です。ＰＣについているスピーカーでも最近は十分なものが多いのですが、できる限り相手の話を正確に聞き取るためにもヘッドホンやイヤホンを使うことをお勧めします。「すみません、今なんておっしゃいましたか？」という場面は少ないほうがいいですから。

プロが教えるオンラインでの話し方最重要項目3！

ポイント① 聞き手の反応を強く意識する

オンラインコミュニケーションのいちばんの難しさは、相手の様子がわかりにくいことです。そう言うと、いや、カメラをオフにしていなければ相手は見えますよ、とおっしゃる方もいると思います。

たしかにそうです。けれども、画面に映っていないものはどうでしょう？

たとえば、聞き手が熱心に聞いているような表情をしながら、カメラの画角から外れている手元のスマホでネットサーフィンをしていても、こちらの話を聞かず、音楽を聴いていたとしてもわからないのです。こんな状況は、リアルでのコミュニケーションではほとんどありませんでした。

それは、聞き手が悪いのではなく、ひきつけておけない話し手の問題です。オンラインでのコミュニケーションでは、聞き手が興味を失わないように、リアルのとき以上に注意する必要があります。

リアルの講演会などでは、いくら話し手の話がつまらなくても、部屋を出て行く人、目の前で爆睡する人、スマホを見始める人はいなかったでしょうが、オンラインならば聞き手は、カメラをオフにして音声をミュートにして、聞いている振りをしながら、その場を離れることも自由にできます。

ダラダラ話したり、見ていて飽きるようなプレゼンをしたりしていると、話し手が気づかないうちに誰も見てくれなくなっている……そんな、話し手にとって厳しい時代が、コロナ禍とともに急にやってきたのです。

第1章や第2章でお話しした、**「とにかく簡潔に」「前置きは省き、重要な話を早**

く」「なるべく短い文章で」の原則を、オンラインでは特に徹底する必要があります。

ポイント② カメラに向かって話す

「カメラをしっかり見て話す」こと。シンプルですが、もっとも大切なことです。「ちゃんとやっています」と言う方も多いのですが、私にはそうは思えません。

多くの方が見ているのは、カメラではなく、「PC画面に映る相手の顔」であることがほとんどです。

気持ちはわかります。話している相手の顔を見ることが大切なのは、対面で話すときの基本ですから。しかし、それは対面のときだから通用する常識です。あなたがPC画面に映る相手の顔を見ているとき、相手は何を見ていると思いますか？　あなたの顔でしょうか？　正確には違います。

相手が見ているのは、ＰＣ画面を覗き込むあなたの顔です。

つまり、相手から見ると、視線が合っていない状態。ちゃんと自分の顔を見てくれていないことになります。

とにかくカメラのレンズを見ることが重要です。

もちろんときどきでしたら、相手の反応を見るためＰＣ画面を見るのは問題ありません。しかしそれ以外の場合は、カメラのレンズを見ることを、基本の形にするようにしましょう。

聞き手の立場になってみてください。自分の顔を見て話してくれている人と、うつむいて話している人とでは大きく印象が違います。

特に、相手を説得したい、ここはぜひ聞いてほしいという部分は「相手の目を見て

＝カメラのレンズを見て」話してください。
カメラのレンズこそ、相手の顔であり目なのです。

なお、このとき、この章の最初にお話しした、カメラのレンズの高さには、再度、留意してください。

目の高さに合わせること。

レンズのほうが低いと、文字通り、上から目線に見えてしまいますし、レンズの位置が高いと、上目遣いの妙に媚びた印象になります。一度、ひとりで録画してみながら、最適な高さを知っておくことをお勧めします。

ポイント③　一生懸命語りかける

ＰＣについているマイクやスピーカーで、オンライン会議システムを通して聴く声は、テレビ局やラジオ局で用いている、極めて高感度の機器を通じて聴く声とは異なります。ましてやリアルとも異なります。実際よりも微妙な音量や声質の変化が消え、平板に聞こえがちです。

そのような状態で、**リアルのときと同じように話すと、メリハリが感じられず、無表情な棒読みに聞こえる**ものです。

それを避けるには、第1章でお話ししたように、

スピードや間、声の高低など、リアルのとき以上に変化をつけて話します。

リアルのときのように、ふつうに話していればわかってもらえるはずだと楽観視してはいけません。自分が話したいようにペラペラ話すのではなく、内容の一つひとつをしっかりと聞き手に届けるよう、細心の注意を払って話しましょう。

聞き手を飽きさせないための スライドの工夫

画面の見せ方にも工夫が必要です。

たとえば、スライドを使ってプレゼンテーションをするとき。

リアルのときは、聞き手は少し飽きてくると、ときにはスライドの画面、ときには話し手のあなたの顔など視線をあちこち移動させて気を紛らわせることができます。

しかし、オンラインの場合は違います。Ｚｏｏｍなどの画面共有を使うと、画面に映っているのはスライドの画面のみになります。

そのスライドが長く見ていても見飽きないものならいいでしょうが、たとえば、「オンラインで大切な話し方のポイント」などと、話している内容のタイトルのみを出して、関連する話を延々と聞かされたとしたらどうでしょうか？

とりあえず画面を見る気はなくなりますよね。すると、音声からしか情報のインプットがない状態が続きます。ましてや、その音声がメリハリのないものだったら……。簡単に離脱することになるのは明らかです。

さらに、スライドの文字量、文字の大きさ、という問題もあります。

リアルの場でしたら、たいてい、話し手の後ろの大きなスクリーンに映し出されますから、会場の大きさによって、文字量や文字の大きさを予め考えて作成することができます。

ところがオンラインでは、プレゼンを見ている人がどんな大きさの画面で見ているのかもわからないのがふつうです。27インチの大型ディスプレイで見ている人なら、少々小さな文字や複雑な図表でも見るのは苦ではないでしょう。しかし、出先にいるためスマートフォンで見ている人にとってはどうでしょう。おそらく見ていられません。

では、どうすればよいのか？

私のお勧めは、**テレビ番組のディレクターの意識を持つこと！**

彼らは、つかまえた視聴者がチャンネルを変えないように、どんな映像をどれくらいの時間見せるか、とことんこだわっています。

思い出してみてください。たとえば情報番組で出てくる画面の構成。新型コロナの影響や専門家の話、感染者のグラフ。画面に複数の情報が一度に出てくるでしょうか？　ちゃんと、情報ごとに一枚の画面で出しているはずです。

専門家のコメントを画面で紹介するときに、

> ○○医師は、「今後、感染者は急速に増える恐れがあるので、これまでの手洗いうがいといった対策を徹底することが何より大切である」と話した。

なんて書いてありますか？
おそらくこんなふうになるでしょう。

〇〇医師「感染者は急速に増える恐れ。手洗い・うがいを徹底」

一般的な多くの方のスライドは、残念ながら、前者の形が多いのが現状です。改行もテキトー。「だって、そう言ってたんだからそのまま書けばいいじゃない」ということだと思います。それでは、見る人の見やすさを配慮しているとは言えません。

スライドに文字を出すときのコツは、これです。

- **文字数はギリギリまで減らす**
- **改行やフォントの変更などでより見やすくする**
- **絵や図で置き換え可能なものは文字にしない**

オンラインコミュニケーションでは、リアルのときよりもさまざまな工夫が必要なことがおわかりいただけたと思います。

たとえコロナ禍が完全におさまっても、このコミュニケーションの方法は残っていくと思います。はじめてチャレンジすることも多いと思いますが、楽しみながら試していきましょう。

オンラインでのカメラ相手の話し方のまとめ

①見え方には、カメラと照明が大事。

カメラの高さとカメラからの距離、明るく影の出ない照明の位置を調整しておく。

②聞こえ方には、マイクが重要。ヘッドセットがお勧め。

単一指向性のマイクを、口に近づけて話す。

ＰＣ付属のスピーカーよりもヘッドホンかイヤホンを。

③オンラインでは視聴者は、カメラオフ、音声ミュートで、別のことをしているかもしれない。

聞き手の反応をリアル以上に意識して、カメラに向かって一生懸命語りかける。

④オンラインでは、少しでもわかりにくかったり、退屈したりすると、聞き手は離脱する。

聞き手を飽きさせないためのスライドの作り方と見せ方を工夫する。

おわりに

この本を書こうと思ったのは、二〇二〇年初頭から広がった新型コロナウイルス感染症が原因です。新型コロナは社会をさまざまな面で大きく変えました。

日々、テレビやネットを通じて伝えられる政治家や医療の専門家、コメンテイターなどから発せられる感染状況等々、そして、テレワーク、オンラインコミュニケーションの仕事のなかでの広がり……コロナ禍がもたらした多くのことのひとつに、「話して伝えることの重要性」を多くの国民が実感したということがあるのではないでしょうか？

なかでも、何度となく行われた総理大臣の記者会見は、聞き手の心をしっかりつかむことの難しさを表していました。

国民の多くが「どんな対策が、いつまでにどんな形で打たれるのか？」と総理大臣の会見を固唾をのんで見守っていたはずです。ここまで記者会見を真剣に見たことはなかったという人も多かったことと思います。そして、多くの人が気づいたはずです。「こんな伝え方ではダメだ」と。

では、何がいけなかったのか？

「原稿の棒読みだ」「読み間違いが多すぎる」「伝えようという気持ちが伝わってこない」「目がうつろで表情に覇気が感じられない」といった、音声や表情など、いわゆる「話し方」を指摘する声が多かったように思います。

一方で、「前置きや修飾語句が多すぎて核となるメッセージが伝わってこない」「いつまでに、どれくらいの、といった具体的数字での説明が少ない」「対策の根拠となるデータ（エビデンス）が明示されていない」という発表された内容面での不備を指摘する声も数多くありました。

さらに「記者からの質問にまともに答えず、同じことを何度も繰り返し話していて不誠実だ」「総理が質問に答えていない場合、再質問をしたくてもさせてもらえないのはおかしい」といった、記者会見とはどうあるべきか、誠実に答えるとはどういうことかという根本的な問題も明らかになりました。

「伝わる話し方」というテーマで、これまでさまざまな本が出されてきました。「発声や滑舌」「ロジカルであること」「見た目などの印象アップ」……。いずれも重要なことです。けれども、こうしたことをそれぞれ単独で行っても、「よく伝わってくる」という結果にならないことを実感している方が多いのではないでしょうか。

大切なのは、「伝える」ということをより深く考えることです。
「自分は何を伝えたいのか」を深く掘り下げる。
それを「わかりやすい形」に再構成する。
「聞き手が理解できる情報量」にまで、話す文をシンプルにする。
その上で、聞き取りやすいように話す。
音声面だけでなく、見せ方などでもひきつける工夫をする。

こんなことをお伝えしたいという強い思いで、この本を書いてみました。まだまだ書き足りないところもあると思います。これからも、「伝わるように話すにはどうしたらいいか」という相談をお寄せくださる皆さまとの対話を通じて、さらに「伝えること」「伝わること」について考えていこうと思っております。

最後に、お二人の方に感謝を申し上げたいと思います。

まず、私のNHK同期のアナウンサー、有働由美子さん。現在は日本テレビ系列のnews zeroなどで変わらず第一線で活躍なさっています。あなたは、ただ情報を読むだけの腰の引けた伝え方しかできなかった新人時代の私にとって、体でぶつかっていく伝え方こそ最強であることを教えてくれた大きな目標であり、私も番組を背負う立場になってからは、どうやれば視聴者に届く表現ができるかいつも共に悩み続けた戦友のような存在です。そんなあなたにコメントをもらえるなんて本当に嬉しかった！　うどーちゃん、ありがとね。

そして、独立して6年目のタイミングで、私の話して伝える方法を皆さまに知っていただく機会を与えてくださった、元ディスカヴァー・トゥエンティワンの創業社長で、現在、株式会社ＢＯＷ＆ＰＡＲＴＮＥＲＳ代表の干場弓子さん。「話す力は、書く力」と言いながら、やはり私には話すほうが楽なようで、ついつい冗長になりがちな私の文章をきゅっと読みやすいものにしていただきました。本当にありがとうございました。ＢＯＷ ＢＯＯＫＳ、5本目の矢になれたことを光栄に思っております！

松本和也

二〇二一年　コロナのひとときの収束の日々に

松本和也（まつもと・かずや）

兵庫県神戸市生まれ。私立灘高校、京都大学経済学部を卒業後、1991年、NHKにアナウンサーとして入局。奈良・福井の各放送局を経て、1999年、東京アナウンス室に。主な担当番組は、「ひるどき日本列島」司会（2001~2002）「英語でしゃべらナイト」司会（2001~2007）「NHK紅白歌合戦」総合司会(2007,2008)「NHKのど自慢」司会（2010~2011）「ダーウィンが来た!生きもの新伝説」ナレーション（2006~2012）「NHKスペシャル」（多数）ナレーション、「シドニーパラリンピック開・閉会式」実況など。2016年6月退職。同年7月から「株式会社マツモトメソッド」代表取締役。

ビジネスで必要な「理解しやすく」「説得力のある」伝え方を徹底的に磨く指導が特徴。話し方はもちろん、原稿・スライドの構成までトータルでサポート。金融・製造・保険等経済界のリーダー層を中心に、医療関係者、士業、政治家の方など表面だけ美しい話し方では通用しない過酷な現場を支える皆さんの指導を行っている。マンツーマン指導を基本として、講演・研修・ワークショップなどにも対応。2019年には、「週刊東洋経済」で、コラム「必ず伝わる最強の話術」を1年にわたり連載した。コロナ禍以降は、「オンラインでの伝え方」のセミナーも多数開催。テレビ司会の豊富な経験から得た、画面越しに伝える実践的なノウハウが好評を博している。
著書　『心に届く話し方65のルール』　ダイヤモンド社　2017年
URL　株式会社マツモトメソッド ▶ https://matsumotomethod.com

BOW BOOKS 005
元NHKアナウンサーが教える
話し方は3割

発行日　2021年12月25日　第1刷

著者　松本和也
発行人　干場弓子
発行所　株式会社BOW&PARTNERS
https://www.bow.jp　info@bow.jp
発売所　株式会社 中央経済グループパブリッシング
〒101-0051　東京都千代田区神田神保町1-31-2
電話 03-3293-3381　FAX 03-3291-4437

装丁　小口翔平＋畑中茜（tobufune）
校正　小宮雄介
印刷所　中央精版印刷株式会社

 ISBN978-4-502-41271-4

時代に矢を射る　明日に矢を放つ

WORK とLIFE の SHIFT のその先へ。
この数年、時代は大きく動いている。人々の価値観は大きく変わってきている。
少なくとも、かつて、一世を風靡した時代の旗手たちが説いてきた、
お金、効率、競争、個人といったキーワードは、もはや私たちの心を震わせない。
仕事、成功、そして、人と人との関係、組織との関係、
社会との関係が再定義されようとしている。
幸福の価値基準が変わってきているのだ。
では、その基準とは?
何を指針にした、どんな働き方、生き方が求められているのか?
大きな変革の時が常にそうであるように、
その渦中は混沌としていて、まだ定かにこれとは見えない。
だからこそ、時代は、次世代の旗手を求めている。
彼らが世界を変える日を待っている。
あるいは、世界を変える人に影響を与える人の発信を待っている。
BOW BOOKSは、そんな彼らの発信の場である。
本の力とは、私たち一人一人の力は小さいかもしれないけれど、
多くの人に、あるいは、特別な誰かに、影響を与えることができることだ。
BOW BOOKSは、世界を変える人に影響を与える次世代の旗手を創出し、
その声という矢を、強靭な弓（BOW）がごとく、
強く遠くに届ける力であり、PARTNERである。
世界は、世界を変える人を待っている。
世界を変える人に影響を与える人を待っている。
それは、あなたかもしれない。

代表　干場弓子